1 MONTH OF
FREE
READING

at

www.ForgottenBooks.com

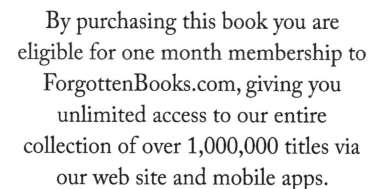

By purchasing this book you are eligible for one month membership to ForgottenBooks.com, giving you unlimited access to our entire collection of over 1,000,000 titles via our web site and mobile apps.

To claim your free month visit:

www.forgottenbooks.com/free343701

ISBN 978-0-331-46288-3
PIBN 10343701

This book is a reproduction of an important historical work. Forgotten Books uses
state-of-the-art technology to digitally reconstruct the work, preserving the original format
whilst repairing imperfections present in the aged copy. In rare cases, an imperfection in
the original, such as a blemish or missing page, may be replicated in our edition. We do,
however, repair the vast majority of imperfections successfully; any imperfections that
remain are intentionally left to preserve the state of such historical works.

Die

WILLENSHANDLUNG.

Ein Beitrag zur

Physiologischen Psychologie.

Von

Hugo Münsterberg,
Dr. phil. et med.,
Privatdocent der Philosophie an der Universität Freiburg.

FREIBURG i. B. 1888.
Akademische Verlagsbuchhandlung von J. C. B. Mohr
(Paul Siebeck).

Phil 5762.3

12 29/23

Inhalt.

VORWORT.

Die vorliegende kleine Schrift beansprucht lediglich den Charakter einer vorläufigen Mitteilung. Sie will eine, von den bisherigen Anschauungen abweichende, Auffassung der Willenshandlung möglichst klar und deutlich zum Ausdruck bringen.

Der ursprüngliche Plan, aus dem die Schrift entstanden, war weiter und umfassender. Ich wollte im ersten Teil eines grösseren Werkes die physischen Elemente der Willenshandlung vom Standpunkt der Naturwissenschaft eingehend erörtern, besonders die Physiologie und Pathologie des motorischen Apparates im einzelnen darstellen, um, mit Berücksichtigung der allgemeinen biologischen Gesichtspunkte, aus dem reichen Thatsachenmaterial die notwendigen Schlüsse zu ziehen. Ein zweiter Teil sollte die Psychologie des Willens enthalten; er hätte nicht nur den Willensakt in den verschiedenen Geisteswissenschaften zu untersuchen, sondern auch die erkenntnistheoretischen Probleme zu verfolgen gehabt. Der dritte Teil endlich sollte sowohl die Ergebnisse der beiden ersten zu einer einheitlichen Theorie verbinden, als auch vor allem die praktischen Probleme, die Bedeutung des Willens für die Normwissenschaften vom Standpunkt unserer Theorie eingehend erörtern.

Doch je länger ich an dem geplanten Werke arbeitete, desto deutlicher erkannte ich die Unzweckmässigkeit der Anlage. Die Detailuntersuchung hätte den breitesten Raum und das Hauptinteresse in Anspruch genommen; die Grundgedanken, auf die mir alles ankam, hätten zurücktreten müssen hinter der Diskussion der einzelnen Thatsachen. Das Werk hätte sich aufgelöst in eine Reihe von physiologischen, pathologischen, psychiatrischen sowie psychologischen, juristischen und ethischen Spezialarbeiten, die sich ja vermöge ihrer Voraussetzungen an sehr verschiedenartige wissenschaftliche Kreise wenden; selbst Excurse über erkenntnistheoretische Fragen drohten durch ihren Umfang den Rahmen des Ganzen zu zersprengen.

So entschloss ich mich, die Arbeit in eine Form zu giessen, welche nur wenig Spuren trägt von den vorangehenden Vorarbeiten und Spezialuntersuchungen in den verschiedensten Gebieten. Jegliches Eingehen auf erkenntnistheoretische oder metaphysische Fragen sowie jede Erörterung der praktischen Konsequenzen meiner Willensauffassung habe ich daher grundsätzlich vermieden und vor allem die naturwissenschaftlichen wie die psychologischen Argumente nur in Umrissen dargestellt, freilich nicht ohne die Hoffnung, das klinische, das physiologische und besonders das psychophysische Material an geeigneterem Ort vom Standpunkt meiner Willensauffassung später im einzelnen beleuchten zu können.

Durch diese Beschränkung der Arbeit auf eine vorläufige skizzenartige Zusammenfassung von Resultaten war auch die Anführung von fremden Arbeiten in enge Grenzen verwiesen. Während eine ausführliche Darstellung die ungewöhnlich reiche Litteratur über die Willenshandlung hätte ordnen und erwähnen müssen, wäre eine eingehendere Litteraturangabe für die vorliegende Arbeit nur Ballast gewesen. So habe ich denn lediglich experimentelle Untersuchungen citiert, alle theoretischen Betrachtungen dagegen unerwähnt gelassen.

Derselbe Gedanke, der mich veranlasste, meinen ursprünglichen Plan so erheblich einzuschränken, drängt mich nun schliesslich dazu, dem fertigen Buch noch einen Wunsch mit auf den Weg zu geben. Wenn mir nämlich bei der Ausarbeitung alles darauf ankam, dass die leitenden Ideen der kleinen

Studie recht deutlich hervortreten, so liegt mir jetzt, da sie psychologischer wie physiologischer Kritik sich unterbreitet, vor allem daran, dass jene Grundgedanken als ein Ganzes betrachtet werden. Besonders wünschte ich, dass die schliessliche Zusammenfassung meiner Theorie im dritten Abschnitt nicht beurteilt würde ohne durchgängige Berücksichtigung des ersten Abschnittes, der die gewollte Bewegung vom naturwissenschaftlichen Standpunkt erörtert, und des zweiten Abschnittes, dessen Überschrift auch lauten könnte: der Wille als Vorstellung.

Freiburg i. B., Dezember 1887.

Hugo Münsterberg.

Einleitung.

Der Wille und die Willenshandlung spielen in sämtlichen unter dem Begriff der Philosophie herkömmlich zusammengefassten Wissenschaften eine wichtige, zum Teil massgebende Rolle. Die Ethik und Rechtsphilosophie, die Logik und Erkenntnistheorie, die Psychologie und die Metaphysik haben sich, besonders in der neueren Zeit, so eingehend, jede von ihrem Standpunkt aus, mit dem Willen beschäftigt, dass man annehmen müsste, wenigstens die nächstliegende Frage, wie eine Willenshandlung zu stande komme, sei endgültig oder wenigstens in sich widerspruchslos beantwortet. Thatsächlich aber gilt KANT's aufrichtiges Wort: „Dass mein Wille meinen Arm bewegt, ist mir nicht verständlicher, als wenn jemand sagte, dass derselbe auch den Mond in seinem Kreise zurückhalten könnte" in gewissem Sinne auch noch für unsere Zeit. Weder die „Innervationsgefühle" der Psychologie, noch die „motorischen Rindenfelder" der Physiologie können uns darüber hinwegtäuschen, dass die empirische positive Wissenschaft an dieser Stelle dem Wunder eine letzte Zufluchtsstätte lässt. Eben diese Frage „wie mein Wille meinen Arm bewegt" ist das Problem unserer Untersuchung, und nur diese Frage, keine andre.

Die sittliche Wertschätzung der Willenshandlung liegt mithin uns hier völlig fern; ja, wir können nicht verkennen, wie es den psychophysischen Willenstheorien durchaus nicht förderlich war, dass meist Erörterungen über Moral und Recht

den Anlass zur Prüfung des Willens boten. Je mehr die
Ethik verinnerlicht wurde, je mehr die sittliche Betrachtung
an die Motive und nicht an den Erfolg anknüpfte, desto mehr
musste die eigentliche Willenshandlung zurücktreten; dass,
sobald der Entschluss vollendet, die entsprechende Körperbewegung eintritt, das gilt dem Ethiker für etwas Selbst-
verständliches. Selbst wenn er bemüht ist, die menschlichen
Handlungen, ohne Rücksicht auf ihren Wert, zu analysieren,
folgt er gar zu leicht dem Triebe jeder Wissenschaft, die
Endresultate auf die Wahl und Formulierung der Prämissen
unwillkürlich einwirken zu lassen. Wir werden jenen Spezialfall
menschlichen Handelns, die sittliche Thätigkeit, vor allem deshalb müssen zurücktreten lassen, um nicht durch die praktische
Bedeutsamkeit derselben ein fremdes Element in die theoretische Untersuchung hineinzutragen. Eine Fehlerquelle kann
aus diesem negativen Verhalten nicht entstehen, da die ethische
Norm, die Stimme des Gewissens, das Gefühl der Verant-
wortung Elemente sind, welche das eigentliche Zustandekommen
der Handlung nicht beeinflussen, alle anderen Faktoren aber
auch in der indifferenten Thätigkeit gegeben sind.

Noch weniger kümmert uns hier natürlich die dogmatisch
metaphysische Spekulation, die sich in gewissem Sinne zu
allen Zeiten an den Willen knüpfte, getrieben von dem tief-
sinnigen Glauben, dass dort das Geheimnis des Lebens ruhe, wo
Bewusstsein und Bewegung zusammenfallen. Sicher war es eine
der poetischsten Ideen, die je das Erscheinungsweltall von einem
Punkte aus zu erleuchten strebten, als man das Chaos innerer
und äusserer Erscheinungen so erfasste, als sei es entstanden
und geordnet durch einen dunklen zur Vorstellung empor sich
ringenden gewaltigen Willensdrang, aber die „Welt als Wille"
zu denken, bleibt nur ein Gleichnis und wird nie zur Erklärung.
So wertvoll die ästhetische Bedeutung jenes Gleichnisses für
das Gemüt sein mag, das sich in jene Mystik versenkt, für
eine theoretische Erklärung des Willens ist es nicht nur unbegründet, unwissenschaftlich, wertlos, sondern hemmend und

schädlich. Wenn der Wille so masslos verallgemeinert wird, so kann von seinem empirischen Inhalt nur wenig mehr übrig bleiben; wenn er überall gefunden werden soll, darf man in ihm nicht mehr das suchen, was wir beim Menschen unter Wille verstehen; statt die gegebene bekannte Verbindung zu analysieren, hat man ihre Elemente künstlich verflüchtigt, um nur diejenigen übrig zu behalten, die in der That überall nachgewiesen werden können. Es ist offenbar der entgegengesetzte Weg, den wir einschlagen müssen: uns gilt es, nicht einen willkürlich konstruierten Willen spekulativ zu verwerten, sondern lediglich seiner selbst wegen den Willen zu prüfen.

Aber noch gegen ein drittes Gebiet müssen wir unsere Aufgabe abgrenzen, und gerade das ist von der allergrössten Wichtigkeit; unsere Antwort auf die Frage des Problems will psychophysisch und nicht erkenntnistheoretisch sein; wir untersuchen die Willenshandlung, wie sie uns in äusserer und innerer Erfahrung gegeben ist, und lassen die kritische Grundfrage nach der absolut wirklichen Ursache dieser doppelten Erscheinung ganz bei Seite. Unmittelbar ist uns ja nur die Thatsache des Bewusstseins gegeben, keine materielle Körperwelt und keine Seele. Hat doch die kritische Richtung unserer neuesten Philosophie vollkommen die Wege nachgewiesen, auf denen wir dazu gelangen, unsern Bewusstseinsinhalt unbewusst in zwei getrennte Reihen zu zerlegen, in ein System der Vorstellungen von der sehbaren und tastbaren Aussenwelt, deren Substrat nur in den Lageverhältnissen wechselnd gedacht wird, und ein System von seelischen Vorgängen, welche die empirische innere Persönlichkeit konstituieren. Beide Reihen enthalten aber nur Erscheinungen, die freilich in so enger wechselseitiger Beziehung uns gegeben sind, dass wir eine befriedigende Erklärung nur in der Annahme finden, sie seien zwei verschiedene Erscheinungsformen desselben einheitlichen, von unserem Bewusstsein unabhängigen, wirklichen Geschehnisses. Nicht hier ist der Ort, diese so wichtigen, in ihren wesentlichsten Punkten allen Richtungen notwendig gemein-

samen Untersuchungen auch nur irgendwie anzudeuten. Es
genügt uns hier, nur das eben zu betonen, wie anders sich
die Frage erkenntnistheoretisch, wie anders sie sich psychophysisch darstellt, vor allem, wie notwendig die scharfe Trennung der Untersuchungswege. Wenn wir fragen: wie kommt
mein seelischer Wille dazu, meinen Körper zu bewegen?, so
muss der Kriticismus antworten: die Fragestellung ist überhaupt falsch! die körperliche Bewegung und der psychische
Wille sind nur die auf zwei verschiedene unwirkliche Substrate
bezogenen Erscheinungen desselben unbekannten wirklichen
Vorgangs; die Frage müsste also richtig gestellt werden: wie
kommt ein Geschehnis dazu, unserem Bewusstsein in doppelter
Erscheinungsform, als Wille und als Bewegung gegeben zu
sein? und diese Frage gehört offenbar in die Erkenntnistheorie,
nicht in die Psychophysik.

So zweifellos richtig nun aber auch diese tiefer eindringende
Fragestellung ist, so berechtigt bleibt dennoch jene der positiven Wissenschaft, die uns beschäftigen sollte; es gilt nur,
beide nicht achtlos zu vermengen. Die positiven Wissenschaften, hier also Psychologie und Physiologie haben, gerade
so wie das praktische Leben, sich um jene kritische Grundfrage
gar nicht zu kümmern, sondern im Verfolg ihrer speziellen
Aufgaben die Welt so aufzufassen, als wäre die gegebene Erscheinung das absolut Wirkliche; das Vorhandensein der
körperlichen und seelischen Welt ist die unbedingte und
ungeprüfte notwendige Voraussetzung ihrer empirischen Untersuchung; die Bewegungsvorgänge der einen, die Bewusstseinsvorgänge der andern kausal und logisch, in sich widerspruchslos
zu erforschen, ist ihre einzige Aufgabe. Wenn nun die Naturwissenschaft die Erfahrungen über die Körper zu sammeln
und die Hypothese von der zur Erklärung angenommenen
Materie so auszubauen hat, dass sie einheitlichem Verständnis
dient; wenn ebenso die Geisteswissenschaft die Thatsachen des
Bewusstseins prüft und zu einer Theorie über die Seele gelangt
als Hilfsvorstellung zur einheitlichen Verbindung und Erklärung

der Vorgänge; so ist dann auch einer Psychophysik — das Wort in weitestem Sinne genommen, als Lehre vom Zusammenhang zwischen Körper und Bewusstsein — ihre Aufgabe vorgezeichnet. Sie hat nicht nur die Thatsachen der Beziehung zwischen beiden zu prüfen und zu erforschen, sondern hat auch über den Zusammenhang von Materie und Seele eine hypothetische Hilfsvorstellung zu schaffen, welche den auf beiden Seiten gesammelten Erfahrungen gerecht wird, die in beiden Gebieten hergestellten Ordnungen anerkennt und dennoch beide ohne inneren Widerspruch vereint.

Für die passiven Vorgänge des körperlich-seelischen Lebens, für seine sensoriellen Vorgänge ist diese Aufgabe in hohem Masse erfüllt. Die Beziehungen zwischen den auf den Körper physisch einwirkenden Reizen und den von der Seele wahrgenommenen Empfindungen sind aufs eingehendste geprüft, und wurden allezeit schon vom naiven Bewusstsein durch die wechselseitige Kontrolle der verschiedenen Sinne bestätigt. Vor allem aber genügte für die sensoriellen Vorgänge jene einfachste landläufige Hypothese vom Parallelismus der physischen und psychischen Vorgänge. Es ist ja freilich eine etwas unkritische Hilfsvorstellung jene Annahme, dass die materiellen von Reizen ausgelösten Vorgänge im Gehirn vom Bewusstsein gleichsam von der Innenseite angeschaut werden und so jede Reizung elementaren Nervengebildes dem Auftreten elementaren Bewusstseinsinhaltes entspricht. Trotzdem hat sich diese Hypothese aufs glänzendste bewährt, und es liegt gar kein Grund vor, eine neue Erklärungshilfe einzuführen; man muss sich nur bewusst bleiben, dass diese Vorstellung nicht erkenntnistheoretisch geprüfte Wirklichkeit sein will, sondern hypothetische Annahme, der eine Wirklichkeit gar nicht entsprechen soll, die vielmehr ihren Dienst erfüllt, wenn sie scheinbar widersprechende Erfahrungen in einer einheitlichen Anschauung verschmilzt, sich immer neuen Erfahrungen anpasst und vor allem zur Aufdeckung neuer Thatsachen mithilft. Gerade dieses letztere hat sie bekanntlich so vielfach geleistet, dass sie heute die unbestrittene Grundlage der physiologischen Psychologie geworden.

Eine solche anschauliche Hilfsvorstellung, solche widerspruchslose Verschmelzung der materiellen und der psychischen Vorgänge besteht nun für die aktive Seite der körperlich-seelischen Erfahrungen nicht; eine einfache Parallelsetzung zwischen Wille und Nerv-Muskelbewegung nützt da wenig; Unklarheit, Verwirrung und deshalb Willkür herrschen in diesem Gebiet. Das ist ja klar: zu einer Verschmelzung der physiologischen und psychologischen Daten, zu einer psychophysischen Theorie darf es erst dann kommen, wenn beide Disziplinen einzeln je ein zusammenhängendes widerspruchsloses Resultat erreicht haben, und dieses gerade fehlt. Was der Wille, das Begehren, oder gar die Innervationsgefühle eigentlich sind, ist noch durchaus nicht von den Psychologen wirklich klargestellt; viel schlimmer aber sieht es bei den Physiologen aus. Zwar drängt sich hin und wieder das logische Postulat hervor, dass jede Körperbewegung aus materiellen Bedingungen erklärt werden müsse, aber die Ausführung im einzelnen setzt sich über die allgemeine Forderung hinweg; wenn es wirklich gilt, höhere Bewegungsformen etwa sittliche Handlungen zu erklären, so wird ohne weiteres die Zuflucht zur immateriellen Seele genommen: kurz, weder Physiologie noch Psychologie haben in sich geschlossene Kausalreihen für die Willensvorgänge fertig gestellt, kein Wunder, wenn da die Hypothesen zur Verschmelzung der beiderseitigen Thatsachen meist das eigenartige Bild zeigen, dass man, was nicht körperlich erklärt werden kann, der Seele zumutet, und was die Seele nicht in sich findet, der fertigen Körperanlage zuschiebt. Unsere Untersuchung muss daher notwendig erst die physischen, dann die psychischen Vorgänge absolut gesondert prüfen und darf erst dann wagen, den Ausbau einer psychophysischen Hilfshypothese zur Verschmelzung der beiden Kausalreihen zu versuchen.

Die Willenshandlung als Bewegungsvorgang.

Die Willenshandlung tritt in die äussere Erscheinung, wenn wir von den theoretisch gleichwertigen Bewegungshemmungen absehen, als Muskelkontraktion, d. h. als Lageveränderung gewisser materieller Teile. Ohne Zweifel liegt darin für die Naturwissenschaft zureichender Berechtigungsgrund, auch ihrerseits den Willen von dem ihr eigentümlichen Standpunkt zu betrachten, also, von allem unräumlichen, immateriellen abstrahierend, den körperlichen Bewegungsvorgang nur als solchen aufzufassen, und gleich wie bei jeder anderen Entwicklung lebendiger Kraft die vollständigen Ursachen der Veränderung in materiellem Bedingungskomplex zu suchen. Sicher ist jeder uns empirisch gegebene Willensakt weit mehr als nur ein physikalisch-chemischer Prozess; ebenso sicher aber verlässt die Naturwissenschaft den ihr notwendigen Standpunkt und wird ihrer Aufgabe untreu, sobald sie im Willen mehr als den materiellen Vorgang sucht. Die Naturwissenschaft, welche physische Bewegung aus psychischen Akten ableitet, statuiert damit ein absolutes Wunder; die endliche Stoffmasse wird zu unendlicher Kraftquelle. Wenn der tierischen Spontaneität im Mechanismus der Natur eine Sonderstellung überlassen wird, so geht die Bedeutung gesetzmässiger Beziehungen zwischen aktueller und potentieller Energie verloren. Die Naturwissenschaft, welche, um nicht einseitig zu sein, inkonsequent wird, giebt sich selber verloren; will sie aber die Konsequenz ihres

Standpunktes ziehen, so darf die Unfähigkeit, ihr Postulat zu
erfüllen, sie nicht abhalten, mit absoluter Strenge die Annahme
zu postulieren, dass jede Willensleistung, seien es die groben
Kräfte unserer Arm- und Beinmuskeln, sei es die fein be-
messene Thätigkeit unserer Finger oder unseres Sprachapparates,
die notwendige Wirkung lediglich materieller Ursachen sei.

An theoretischen Gegeneinwendungen hat es freilich nie
gefehlt. Bald glaubte man die Gesetzmässigkeit bestehen lassen
zu können, und in den Erfolgen des Willens nur kleine Aus-
nahmen zugestehen zu dürfen, eine Auffassung, die nicht nur
theoretisch widersinnig, sondern auch praktisch den Begriff
der Ausnahme etwas weit dehnt, da die Zahlen der absoluten
Muskelkraft in der Tierwelt keine geringe Kraftsumme für
jedes der unzähligen Geschöpfe berechnen lassen. Bald wieder
verlangte man vom psychischen Willen, dass er zwar keine
physische Leistung vollbringe, wohl aber Einfluss darauf ausübe,
zu welcher Zeit die potentielle Nervenkraft sich in lebendige
umsetze; selbstverständlich kann die Ursache der Auslösung
latenter Kraft aber auch nur in einem Bewegungsvorgang
gesucht werden; vermag der Wille eben diesen hervorzubringen,
so ist ihm damit gerade das zugeschrieben, was durch jene
künstliche Hypothese ihm entzogen werden sollte. Schliesslich
hat man verkündet, dass alle Gesetze von der Erhaltung der
Energie nur aussagen, dass keine Kraft verschwinden kann,
sehr wohl aber könne fortwährend durch die Psyche neue
Kraft entstehen. Diesem Einwand aus ganz unnaturwissen-
schaftlicher Sphäre ähnelt sonderbarerweise eine Idee, die im
Kreis exaktester Naturforschung entstanden. PREYER glaubt
nämlich neuerdings das Rätsel der organischen Vorgänge
damit gelöst zu haben, dass er der Materie Empfindung zuschreibt. Da diese Empfindung materielle Vorgänge erklären
soll, so kann darunter nicht die immaterielle Begleiterscheinung
verstanden werden, die in der Biologie bisher als Empfindung
galt, es muss vielmehr eine neben den physikalisch-chemischen,
also in letzter Linie mechanischen Kräften gesondert wirkende

Kraft sein, kurz eine Kraft, die in der konstanten Kraftsumme im System der Natur nicht enthalten ist, sondern sich stets neu erzeugt und aus sich heraus Arbeit leistet. Gegenüber solchen Vorstellungen reicht die Berufung auf die Erfahrung nicht aus; dass, weil mechanische Arbeit, Wärme, Elektricität u. s. w. kurz die paar bekannten Kräfte stets aus anderen Kräften abgeleitet werden können, auch die Muskelkraft mechanisch umsetzbaren Energien entspringt, das wäre als blosser Analogieschluss wohl kaum beweisend. Das zwingende Moment ergiebt sich nur aus der erkenntnistheoretischen Würdigung, dass unsere Gesetze von der Erhaltung des Stoffs und der Kraft gar nicht nur Erfahrungen, sondern zugleich notwendige Denkvoraussetzungen für unsere Vorstellungen von der Materie sind. Die Formen für die Umsetzung der Energie hat uns erst die neueste Zeit gelehrt, das Axiom vom Beharren der Materie und ihrer Wirkungsfähigkeit hat aber zu allen Zeiten die Wissenschaft begleitet, ihre Erfahrungen umgedeutet, die Atomistik geschaffen und hat so sich nicht etwa zufällig bewährt, sondern hat sich deshalb in der Natur als richtig erwiesen, weil wir Natur nur vom Beharren der Substanz ausgehend denken können. Das Postulat, den Willenseffekt als Mechanik der Atome zu erklären und die Kausalreihe bis zu bekannten Faktoren zurückzuführen, bleibt also mit gutem Grund bestehen, und wir müssen wenigstens die Richtung verfolgen, in der die bisherigen Untersuchungen dieses dunklen Problems sich bewegen.

Offenbar haben nun die beiden nächstliegenden Hauptfragen, nämlich auf welchem Wege die Kontraktion auslösende Kraft zum Muskel gelangt und welcher Art diese Kraft ist, sehr verschiedenwertige Beantwortung erfahren. Die zweite Frage muss völlig theoretischer Erörterung überlassen bleiben, die freilich ihre Anhaltspunkte und Analogien aus der Erfahrung nimmt; die Frage nach den Bahnen des motorischen Impulses wendet sich dagegen an die exakt empirische Untersuchung, die ihr eine Fülle von Methoden zur Verfügung stellt. Die

normale, die pathologische, die komparative, die embryologische
Anatomie, das physiologische Experiment, die klinische Erfahrung, alle haben an der Feststellung ihr Interesse und
können die Punkte, in denen sie übereinstimmen, als um so
fester stehende Resultate betrachten, je manigfaltiger die Wege
sind, auf denen sie hingelangen. Zweifellos ist die Wissenschaft von einer wirklichen Erkenntnis aller Bahnen noch weit
entfernt, ja gerade die Mannigfaltigkeit der Methoden bringt
oft solche schwere Widersprüche in die Resultate, dass besonders in der Hirnphysiologie bedauerliche Unsicherheit das
ganze Gebiet beherrscht; trotz alledem ist dem Postulat nach
physikalisch-chemischer Begreiflichkeit, nach Zurückführung
auf anschaulich verständliche Vorgänge schon heute vollauf
Genüge geleistet. Die Wissenschaft wird fortschreitend zwischen
den verschiedenen Hypothesen zu entscheiden haben, wird die
Einzelheiten immer klarer erkennen; das Kausalbedürfnis ist
aber schon damit zufrieden, wenn die erkannten Thatsachen
überhaupt ausreichen, eine in sich geschlossene Theorie der
Erklärung hypothetisch aufzustellen. Die Mannigfaltigkeit der
Theorien ist für den Naturforscher freilich ein Zeichen unserer
Unkenntnis: seine Arbeit geht dahin, die von der Hypothese
überbrückten Lücken durch Erkenntnis so auszufüllen, dass
wir von den Möglichkeiten nur die übrig behalten, welche die
Wahrheit ist oder was der Naturforscher Wahrheit nennen
muss. Für denjenigen aber, der von allgemeinem biologischen
Interesse geleitet wird, ist diese Mannigfaltigkeit der Theorien
eine erfreuliche Befriedigung seines Kausalbedürfnisses; auch
er wird die einzelne Hypothese nicht deshalb schon für
Wahrheit nehmen, aber jede einzige Theorie, welche in sich
widerspruchlos sämtliche bisher bekannten Thatsachen berücksichtigt und sie auf bekannte Gesetze zurücktührt, ist ihm hin-
reichender Beweis dafür, dass sein Postulat für mechanische
Erklärbarkeit der Willenshandlung an sich erfüllbar ist, und
widerlegt absolut die gegnerische Behauptung von der Unmöglichkeit mechanischer Erklärung. Er wird sich bewusst

bleiben, dass die Theorie von der fortschreitenden Wissenschaft
im einzelnen wird ausgebaut werden, dass sie selbst in Grund-
fragen von wachsender Erkenntnis wird verändert werden
müssen, ja vielleicht schliesslich von ganz neuer Wahrheit verdrängt wird, aber für den jeweiligen Stand der Wissenschaft
hat sie ihren absoluten Wert; die Theorie soll gar nicht die
Wahrheit entdecken, sondern soll die erkannten Thatsachen in
sich widerspruchslos kausal verknüpfen. Dass Theorien in
diesem Sinne heute möglich sind — und dieser ganze Abschnitt
versucht lediglich solche Theorie zu entwickeln — während sie
noch vor wenigen Decennien einfach unmöglich waren, das
dürfte auf einen Fortschritt der Wissenschaft weisen, dem
gegenüber die Menge der unbeantworteten Einzelfragen nicht
entmutigend wirken darf.

Der Zusammenhang zwischen Muskel, Nerv und Gehirn,
eine durchaus nicht so nahe liegende Erkenntnis, ist freilich
schon lange bekannt, und der Materialismus, der das notwendige Prinzip der Naturanschauung zum unberechtigten
Prinzip der Weltanschauung erhob, hat allezeit auf diesen Zusammenhang seine einseitige Psychologie gestützt. Dennoch
gehört erst unserer Zeit das Verständnis für den feineren
Zusammenhang zwischen motorischem Nerv und Muskel einerseits, Centralorgan andrerseits. Von einer Erledigung des
Problems ist ja freilich auch heute noch keine Rede, und
grade die Vorstellungen über motorische Nervenendigungen
haben, beim Fortgang der Untersuchung, in ihrem Wert als
Substrat anschaulicher Kontraktionstheorie manches eingebüsst.
Hatte es doch eine Zeit lang den Anschein, als setze sich der
Nerv in seiner letzten Verästelung unmittelbar in die kontraktile
Substanz der einzelnen Muskelfaser fort, die offenbar anschau-
lichste Vorstellung, ebenso wie in der vergleichenden Anatomie
die Neuromuskeltheorie, welche Nerv und Muskel als Differenzierung ursprünglich einheitlicher Zelle auffasst [1]), also als

---

[1]) KLEINBERG: Hydra. S. 10 ff. GEGENBAUR: Grundriss d. vergl.
Anat. 1878. S. 40 ff.

Trennung und Selbständigwerden verschiedener Zellenteile, von vornherein viel für sich haben musste. Die Wissenschaft hat beide Annahmen beseitigt: wir wissen jetzt, dass das Nervensystem erst sekundär mit dem Muskel in Verbindung trat[1]) und dass die Sohlengranulosa sich völlig trennend zwischen Nervenfaser und Muskelfaser einschieben kann[2]). So wären denn die Anhaltspunkte für einen unmittelbaren Zusammenhang des reizleitenden und kontraktilen Gebildes als unzulässig erkannt, wenn nicht besonders Kühne's Arbeiten, welche unbestritten den Höhepunkt der Wissenschaft repräsentieren, so sehr für die einfache Vorstellung sprächen, dass in den gliösen Elementen das eigentlich Kontraktile, in der Rhabdia nur elastische Gebilde vorliegen[3]).

Es kann nicht im Sinne unserer Aufgabe liegen, hier die mannigfachen Ansichten in derartigen Fragen kritisch zu sondern oder gar die anatomischen und physiologischen Einzelheiten zusammenzustellen, die zum Gemeingut der betreffenden Wissenschaften geworden sind. Wir müssen den Bau des Muskels, die makroskopische Innervation, den Weg der trotz Plexusbildung isoliert zum Centralapparat verlaufenden Nerven als bekannt voraussetzen und dürfen nur daran erinnern, wie die Feststellung des Verlaufs motorischer Bahnen im Rückenmark eine verhältnismässig weitgehende Übereinstimmung zwischen den verschiedenen Disciplinen aufwies. Flechsig's entwicklungsgeschichtliche Untersuchung, Türk's Beobachtung der sekundären Degeneration, die besonders von Schiff ausgebildete Methode experimenteller Reizung nach Anlegung partieller Längs- und Querschnitte, und schliesslich der pathologisch-anatomische Sektionsbefund bei Krankheiten mit genaustudierter Bewegungsstörung, alles verweist übereinstimmend auf den Verlauf motorischer Bahnen in den weissen Vorder-

---

[1]) Chun: Ctenophoren. 1880. S. 215 ff.

[2]) Kühne: Motor. Nervenendigg. in Zeitschrift für Biologie. Bd. 23. S. 1 ff.

[3]) Kühne: A. a. O. S. 92.

und Seitensträngen, auf ihre Kreuzung in der Pyramidengegend, auf ihre Verflechtung in der grauen Substanz, ihren Eintritt in Ganglien und ihren schliesslichen Austritt in den vorderen Wurzeln, nachdem eine Vermehrung [1]) der Fasern in der grauen Substanz eingetreten. Weit unsicherer, weil viel komplicierter, werden alle diese Verhältnisse im Gehirn. Was dort über die Kreuzung in der Brücke, über die motorischen Bahnen in Grosshirnschenkeln und innerer Kapsel, über die Leitung zur Rinde und ihre Beziehung zu letzterer sowie zu den grossen Ganglien bekannt ist, das kann uns im Detail hier nicht bekümmern; es genügt uns, aus der Fülle der Einzelheiten den Grundgedanken hervorzuheben, dass von der Grosshirnrinde zur motorischen Spinalbahn und somit weiter bis zum Muskel eine unendlich verzweigte, aber absolut kontinuierliche Bahn läuft. Nicht mehr als dieses entnehmen wir an dieser Stelle den Arbeiten über Rindenreizung, die durch HITZIG, FERRIER, SCHIFF, EXNER, GOLTZ, MUNK u. a. bekanntlich heute im Mittelpunkt physiologischer Diskussion stehen. Erst wenn wir erörtert haben werden, was der Wille psychologisch ist, werden wir bei der psychophysischen Untersuchung die Frage eingehender aufnehmen, wodurch bei elektrischer Rindenreizung die isolierte Muskelkontraktion eigentlich erzeugt wird, ob es sich wirklich da um Centren handelt, ob motorische Bahnen gereizt werden oder ob vielleicht die Bewegung nur reflektorisch von dort ausgelöst wird. In jedem Falle steht das ja fest, dass an der konvexen Hirnoberfläche eine Reihe von kleinen Feldern sich umschreiben lässt, deren isolierte elektrische Reizung, selbst wenn sie rings umschnitten sind, bestimmte Extremitätenbewegung hervorruft, während die Unterschneidung jener Felder den Effekt aufhebt [2]). Die Kontinuität der reizleitenden Bahn von der Hirnrinde zum

---

[1]) WOROSCHIKOFF: Verlauf d. motor. u. sens. Bahnen, in Ludwig's Arbeiten 1874.

[2]) EXNER: Motorische Rindenfelder. 1881. PANETH: Lage der absoluten motor. Felder, in Arch. f. d. ges. Physiol. Bd. 37. S. 523 ff.

Muskel ist damit sichergestellt und dadurch der erste Faktor
einer die Willenshandlung mechanisch erklärenden Theorie in
einer Form gegeben, die dem Kausalbedürfnis entschieden genügt, wie sehr auch das weitere Vordringen in der Einzel-
kenntnis zu wünschen und zu erwarten ist.

Viel geringere Anhaltspunkte bietet die Erfahrung für die
zweite Vorfrage: welcher Art die Veränderung im Nerv
während der Reizleitung, im Muskel während der Kontraktion
ist. Besonders für den Muskel hat eine Theorie die andre verdrängt; bald sollten elastische, bald elektrische, bald thermische
Kräfte das Massgebende sein, und für den heutigen Stand der
Frage scheint ein der Koagulation analoger chemischer Vorgang am ehesten den Erscheinungen der kontrahierten Muskelfaser zu entsprechen [1]). Wenn dagegen wirklich gliöse Elemente
das kontraktile Gebilde vorstellen, so würde, wie uns scheint,
schon eine der amöboiden Bewegung ähnliche Verschiebung
und Formveränderung kleinster Teilchen zur Erklärung genügen. So unberechtigt auch eine unmittelbare Übertragung
des phylogenetisch frühesten Stadiums auf die differenzierten
Organe, so wichtig ist es doch, bei einer Theorie der Kontraktion daran zu erinnern, dass sich die mannigfaltigen Bewegungen des einfachen Protoplasmas hinreichend mechanisch
erklären lassen durch Kugelung kleinster Teile und Aus-
streckung derselben, die sehr wohl durch Quellung bei Wasser-
aufnahme erklärbar wäre [2]).

Vollkommen angewiesen auf die Annahme chemischer
Vorgänge sind wir beim Nerven. Freilich „chemischer Vorgang" ist nur ein Wort, und die neurochemische Physiologie
hat, ausser bei der Retina, erst wenig gethan, die Vorgänge
im einzelnen zu verfolgen. Jedenfalls aber sprechen schwere
Bedenken gegen die Annahme einer Fortbewegung irgend

---

[1]) HERMANN: Allg. Muskelphysiologie, in Hermann's Handbuch der
Physiologie. Bd. I. 1. S. 253 f.

[2]) ENGELMANN: Flimmer u. Protoplasmabewegung, in Hermann's
Handbuch. Bd. I. 1. S. 375.

welcher Substanz in den Nerven, gegen die Annahme einer stossartigen Wirkung, bei welcher die Ermüdungserscheinung unerklärbar wäre [1]), und nicht minder gegen die Annahme natürlich durchfliessender elektrischer Ströme, die früher solch grosse Rolle spielten. Eine chemische Erregung, die von Teilchen zu Teilchen übertragen wird, gewährt dagegen eine widerspruchslose, voll befriedigende Erklärung, wenn wir dabei den wertvollen Gesichtspunkten folgen, die WUNDT zur Erklärung des Innervationsvorganges aufgestellt und durchgeführt hat. Ihr Grundgedanke ist der, dass bei jeder Nervenreizung komplexe lose Moleküle in enger verbundene einfachere Moleküle zerfallen und dadurch die innere Molekulararbeit in äussere übergeht. Die Theorie in ihrer Mannigfaltigkeit zu verfolgen, ist hier nicht der Ort; uns genügt der Hinweis auf dieselbe, um auch für die zweite Frage, die Frage nach der Art des Nerv-Muskel- vorgangs die Behauptung zu widerlegen, dass eine rein natur- wissenschaftliche Erklärung der Körperbewegung unmöglich sei. Gerade nach den schnellen Fortschritten der Elektrophysiologie wird die Neurochemie sich sehr entwickeln müssen, wenn sie den Anforderungen gerecht werden will; dass aber zur Erklärung der Muskelzuckung bei Rindenreizung die N a t u r g e s e t z e a u s - r e i c h e n und kein Sprung ins Immaterielle nötig ist, darüber kann schon heute kein physiologischer Chemiker im Zweifel sein.

Wir dürfen freilich nicht vergessen, dass die beiden bisher betrachteten Fragen die einfachsten des Rätselkomplexes sind und daher diejenigen, deren Lösbarkeit am wenigsten in neuerer Zeit bestritten. Wir kommen im Verfolg des Problems nun zu der sich weiter ergebenden Frage: wie im normalen Leben solche, Muskelkontraktion auslösende Hirnreizung zu stande kommen kann. Offenbar liegt hierin, vom naturwissenschaft- lichen Standpunkt betrachtet, das Problem der Spontaneität. Das, was wir dem Willen als Freiheit prädizieren, ist, materialistisch gedacht, nur unsere Unfähigkeit, zu erklären,

---

[1]) HERMANN: Allg. Nervenphysiologie, in Hermann's Handbuch. Bd. II. 1. S. 191.

weshalb im bestimmten Moment gerade diese und keine andere Stelle des nervösen Centralapparates gereizt wird. Von der Automatie des Protoplasmas bis herauf zum freien Willen des Menschen ist nur das central Auslösende, nicht das peripher Ausgelöste, scheinbar so ursachlos, dass es zu immaterialistischen Hypothesen hindrängt.

Die Naturwissenschaft, welche den Molekularvorgang im Hirn nicht ohne physikalisch - chemische Bewegungsursache denken darf, kann nur zwei Möglichkeiten zulassen, entweder ist der Reiz ein somatischer, also durch die Verhältnisse der Hirnernährung und der cerebralen Blutzirkulation bedingt, oder der Reiz dringt auf Nervenbahnen von der Körperperipherie zum Centrum, d. h. der Reiz entsteht im Körper selbst oder er wirkt von aussen auf den Körper ein; ein drittes kann es nicht geben. Nun ist an dem Vorhandensein zahlloser bewegungauslösender Reizungen der ersten Art gar nicht zu zweifeln; die maniakalische Bewegungsflucht, die soporöse und stuporöse Bewegungshemmung stehen mit Hyperämie und Anämie in engstem Zusammenhang; wir können durch Veränderung des Kreislaufs experimentell epileptische Bewegungen cerebral auslösen, und die Erleichterung oder Erschwerung psychomotorischer Vorgänge durch Aufnahme von Alkohol und Giften ins Blut ist eine bekannte Erfahrung. Wir haben also gar keinen Grund zu bezweifeln, dass auch in physiologischer Breite der das Gehirn durchrieselnde Ernährungsstrom Einfluss ausübt auf den centralen Teil des motorischen Apparates: aber wir können uns doch auch nicht verhehlen, dass alle derartigen Wirkungen mehr allgemeiner Art sind ohne besondere Beziehungen auf die Aussenwelt. Die berechtigte Annahme somatischer Reizungen kann uns wohl Bewegungen an sich erklären, niemals aber erklären, weshalb gerade solche Bewegungen entstehen, die den äusseren Bedingungen entsprechen, und gerade in solchen sehen wir die Willenshandlung. Hier setzt nun freilich für gewöhnlich die psychologische Hypothese ein, dass der Wille

sich von den somatisch ausgelösten Bewegungen in der Erfahrung allmählich die der Aussenwelt angepassten auswählt
und absichtlich reproduziert. Ist diese Vorstellung rein psychologisch gedacht, als Eingriff eines Immateriellen ins Materielle,
so interessiert sie uns hier nicht; wird sie aber physiologisch
ausgeführt, so ist es leicht zu sehen, wie sie die Schwierigkeit
eher vermehrt als vermindert. Jener, die zweckmässigen Bewegungen aus den somatischen auswählende Wille, könnte doch
wieder nur ein nervöser Centralapparat sein, dessen Erregung
in irgend welcher Weise als Reiz auf den motorischen Hirnteil
wirkt, und wieder fragt sich dann, wie jene den äusseren Bedingungen entsprechende Erregung durch nur somatische
Ursachen erklärt werden soll. Das Problem wird dadurch
lediglich zurückgeschoben; eine Lösung ist also nur auf dem
anderen Wege möglich, durch die Annahme, dass, wenn die
Bewegung in Beziehung zur Aussenwelt steht, der motorische
Apparat central durch solche Reize erregt wird, die auf
nervöser Bahn von aussen her centripetal das Gehirn erreichen.
Von den somatisch ausgelösten zwecklosen Bewegungen abgesehen, muss also physiologisch betrachtet jedem central ausgelösten Bewegungsvorgang ein Komplex centripetaler Erregungen vorangehen, und in diesen von aussen wirkenden
Erregungen zusammen mit dem vorhandenen Bau und Zustand
des nervösen Mechanismus müssen die absolut zureichenden
Ursachen für den notwendigen Eintritt der bestimmten Willenshandlung liegen. Dass selbstverständlich die Reize, denen eine
menschliche Handlung entspricht, nicht auf einmal zusammenwirken, sondern vielleicht Millionen von Reizen durch Jahr-
zehnte hindurch sich in aufgespeicherte latente Kraft umsetzen
mussten, ehe ein zutretender Licht- oder Tast- oder Schallreiz
die Auslösung der potentiellen Energie in lebendige verursacht
und eine bestimmte komplexe Muskelkontraktion hervorruft,
das widerspricht nicht dem allgemeinen Prinzip, dass die Summe
der Reize und der Zustand des Apparates ausreichen zur
Erklärung jeder resultierenden Bewegung.

Die Physiologie nennt, in durchgängiger Übereinstimmung, eine solche Bewegung: Reflex, physiologisch ist daher jede Handlung, auch die freie Willenshandlung, nichts als ein Reflex; die ungeheure Kompliziertheit und zeitliche Ausdehnung unterscheidet den Cerebralreflex nur quantitativ von dem spinalen. WUNDT hat mit Recht davor gewarnt, in der Psychologie den Ausdruck Reflexbewegung auf Triebhandlungen, geschweige auf Willkürhandlungen auszudehnen, da Reflexe stets ohne Begleitung psychischer Vorgänge ablaufen. Dieser Einwand trifft unsere Darlegung nicht. Wir wollten ja eben hier von allen Bewusstseinserscheinungen abstrahieren und lediglich den mechanischen Vorgang untersuchen; unter dieser Voraussetzung bleiben wir also der ursprünglichen Bedeutung des Wortes völlig treu, wenn wir auch in der Willenshandlung, vom naturwissenschaftlichen Standpunkt aus, nur eine Reflexbewegung sehen. Das einfachste Schema aller central ausgelösten Muskelthätigkeit wäre demnach der spinale Reflex des enthirnten Frosches, der auf äussere die Haut treffende Einwirkungen zweckmässig reagiert, der den Tropfen Essigsäure mit dem Bein vom Rumpf abwischt, der den Schenkel aus der Salzlösung herauszieht u. s. w. — Das Schema der höheren Stufe würde dann etwa ein Frosch bieten, der nur des Vorderhirns beraubt ist; seine Bewegungen sind schon zu einem viel reicheren Bedingungskomplex in Beziehung gesetzt. Nicht nur Tastreize, wie beim enthirnten Tier, sondern auch Licht- und Schallquellen der Aussenwelt bedingen da die besonderen Bewegungen; der Frosch weicht einem Hindernis aus und bewahrt bei Neigung der Unterlage das Gleichgewicht. Vor allem beweisen seine Bewegungen, dass sie nicht nur Resultat momentaner Einwirkung, sondern dass die Nachwirkungen früherer Reize, gewissermassen also die Erfahrung, von nicht geringerem Einfluss sind. Doch auch das ist nichts qualitativ Neues, da der enthirnte Frosch, der den in konzentrierte Salzlösung getauchten Schenkel sofort hervorzieht, in verdünnte Lösung mehrmals hintereinander getaucht werden muss, bis die Reflexbewegung

eintritt. Offenbar ist diese Summation der Reize die einfachste
Form der Nachwirkung, denn auch hier ist die Ursache für
die Beinbeugung nicht das letzte Mal des Eintauchens, sondern
sämtliche Male waren notwendig, um den Erfolg zu bewirken.
So reicht für den Frosch mit Mittelhirn der Gesichtseindruck
des Hindernisses nicht aus, um ihn zu ausweichenden Bewegungen auf der Flucht zu veranlassen; es muss diese Gesichts-
erregung sich mit den Nachwirkungen früher erfahrener Erregungen, z. B. der Hauterregung beim Anstossen an das
Hindernis, verbinden, um die angepasste Bewegung zu verursachen. Wir dürfen übrigens nicht übersehen, dass solche
Nachwirkung äusserer Einflüsse überhaupt nicht etwa auf biologische Prozesse beschränkt ist, dass jene primitivste Form
derselben, wie sie uns in dem Salzsäure-Experiment am enthirnten Frosch vorliegt, vielmehr ihre Analogie in mannigfaltigen
chemischen Vorgängen findet; es sei hier nur an die Erscheinungen der Katalyse erinnert, sowie an die in neuester
Zeit studierte Verzögerung chemischer Prozesse in Capillaren.
Auch wenn man nicht dem unpsychologischen Gleichnis zu-
stimmt, das Gedächtnis als allgemeine Funktion der Materie
zu betrachten, so darf man doch entschieden behaupten, dass
von den katalytischen Prozessen der Chemie bis zu den, nur
auf Gedächtnis zurückzuführenden Bewegungsreaktionen des
seines Vorderhirns beraubten Frosches eine kontinuierliche
Stufenreihe von Nachwirkungen äusserer Einflüsse vorliegt, eine
Stufenreihe, die bei dem biologischen Vorgang kein gegenüber
dem unorganischen Geschehen qualitativ neues Element auf-
weist. — Eine noch höhere Stufe repräsentiert der Frosch mit
unverletztem Nervenapparat. Hier überwiegen in dem die
Bewegung auslösenden Bedingungskomplex die Nachwirkungen
früherer Erregungen, und eben desshalb scheinen die Bewegungen ursachlos, da die sichtbaren, unmittelbar vorhergehenden Ursachen nur einen geringen, zur Erklärung unzureichenden Teil der Ursache darstellen. Und dennoch ist auch
der unverletzte Froschcentralapparat nur der Typus einer

niederen Stufe gegenüber den viel komplizierteren Verhältnissen
etwa des Hundes, bei welchem die Wirkungen und Nachwirkungen der Geruch-, Gesicht-, Gehör- und Hautreize Bewegungen auslösen, die ihn in zweckmässiger Beziehung zu den
mannigfaltigen Bedingungen etwa einer Jagd erhalten. Auf
der Höhe dieser schematischen Stufenleiter steht dann der
Centralapparat des Menschen, bei dem nur die Untersuchung
der Entwicklung die unendliche Fülle der zusammenwirkenden
Reize entwirren kann. Hier überwiegen nicht nur die Nachwirkungen früherer Reize in jedem Moment über die neuen
Reize, sondern die Reize selbst sind der Mehrzahl nach gar
nicht Erregungen durch diejenigen Gegenstände, auf welche
die Körperbewegungen sich beziehen, sondern sind Schallreize
der Sprache, Lichtreize der Schrift, die also selbst erst wieder
mit Nachwirkungen gegenständlicher Erregungen sich verbinden
müssen, um überhaupt als Faktor in den Bedingungskomplex
einzugehen; da ist dann natürlich in den Schallwellen des ge-
sprochenen Wortes kaum ein milliontel Teil von den Gesamt-
ursachen, die den bestimmten Bewegungskomplex im Hörer
auslösen; aber die Bewegung, und mag sie aus besonnenster
„Überlegung" erfolgen und noch so sehr ethisch wertvoll sein,
ist durch die Summe der erlebten Eindrücke zusammen mit
jenen Schallwellen des letzten Wortes bei gegebenem Bau des
Centralapparates genau so bedingt wie die Muskelkontraktion
des enthirnten Frosches, der seinen Schenkel aus der Salzlösung zieht.

Die Frage nach den Ursachen der centralen Reizung im
motorischen Apparat, hat sich also dahin beantwortet: die
Ursache sind die nervösen centripetalen Erregungen; es ergiebt
sich somit eine neue und letzte Frage, in der demnach die
ganze Schwierigkeit des Problems steckt, die Frage: wie
konnte ein Nerven-Apparat entstehen, der so eingerichtet ist, dass er, trotz der unendlichen
Mannigfaltigkeit der äusseren Bedingungen doch
in jedem Moment durch die einwirkenden Reize

diejenigen Bewegungen auslösen lässt, die den
Verhältnissen der Aussenwelt zweckmässig entsprechen? Das ist die Schwierigkeit; sobald wir das Entstehen solchen Apparates begreifen, so ist die Möglichkeit einer
mechanischen Erklärung der Willenshandlung bewiesen. —
Gegen diese Auffassung, dass die Zweckmässigkeit der centralen
Reflexe durch die Zweckmässigkeit des vorgebildeten Apparates
bedingt sei, scheinen die Erfahrungen der Entwicklung zu
sprechen. Freilich die bekannten Versuche von SOLTMANN,[1])
welcher behauptete, dass bei jungen Tieren keine Bewegungen
durch Rindenreizung verursacht werden können, der Apparat
mithin nicht fertig vorgebildet ist, sind in jeder Beziehung
durch PANETH [2]) widerlegt, abgesehen davon, dass selbst jene
Versuche verschieden deutbar waren und überdiess auch eine
extrauterine Körperentwicklung selbstverständlich ist. Wichtiger
erscheint der Einwand, dass ja die Bewegungen des Kindes
durchaus noch nicht so zweckmässig sind, wie sie bei Voraussetzung solch vorgebildeten Apparates sein müssten. Aber
wir dürfen nicht vergessen, dass andererseits die Bewegungen
des Kindes auch durchaus nicht zweckwidrig sind, sondern
unzweckmässig nur durch ihre Unvollkommenheit. Sie erinnern
an die Bewegungen Ataktischer; die feinere Ordnung und
Abstufung der komplexen Bewegungen, die dem Ataktischen
verloren gegangen, hat das Kind noch nicht erworben, aber
bei beiden ist die Bewegungstendenz die richtige. Vor allem
aber ist der Reizkomplex, der auf den Neugeborenen einwirkt,
ein zu kleiner, um schon die passenden Bewegungen auszulösen;
der vorgehaltene Gegenstand hat als Lichtreiz für das Kind
schon dieselbe Bedeutung wie für den Erwachsenen; um aber
nach dem Gegenstand richtig zu greifen, dazu leitet den
Erwachsenen eine Reihe anderer früherer Reize, die auf das
Kind noch nie eingewirkt. Die Entwicklung des Menschen

---

[1]) SOLTMANN: Archiv für Kinderheilkunde. Bd. IX.
[2]) PANETH: Archiv für die gesamte Physiologie. Bd. 37. S. 202 ff.

besteht eben darin, dass die Reize der Aussenwelt fortwährend
in ihre Faktoren zerlegt und fortwährend auch wieder neu
kombiniert werden; dadurch müssen mit Hilfe des vorgebildeten
Nervenmechanismus die entsprechenden Bewegungen allmählich isoliert und associiert werden, d. h. die störenden Mitbewegungen des Kindes werden durch die Entwicklung und
Erziehung beseitigt und koordinierte Bewegungskomplexe werden
durch Übung erlernt. — Wir müssen also auf unsere letzte
Frage zurückgehen: wie entstand jener Mechanismus, der durch
die Reize auch gleich, den Reizen zweckmässig entsprechende,
Bewegungen auslöst? Wir müssen dieser Frage hier eine eingehendere Untersuchung widmen, da sie der naturwissenschaftlichen Einzelforschung sich entzieht, vielmehr allgemein biologische Betrachtung erheischt und von den Biologen stets
vernachlässigt wurde, aus dem einfachen Grunde, weil sie
überflüssig ist, sobald man die Zweckmässigkeit nicht in dem
Apparat, sondern in der immateriellen Seele sucht. Dennoch
dürfte beim heutigen Stand der Wissenschaft der Versuch einer
hypothetischen Lösung immerhin erlaubt sein, wiewohl wir uns
bewusst bleiben, dass die Lösung nur dann als solche gelten
kann, wenn sie sich ausnahmslos auf sämtliche Handlungen
erstreckt, und nicht etwa in der üblichen Weise nur die einfachen Triebbewegungen umfasst und vor den komplicierten
ethischen Willenshandlungen ratlos stehen bleibt.

Wie also entstand das materielle Substrat der von den
Reizen ausgelösten Reflexe, zu denen, wie wir sahen, vom
physiologischen Standpunkt sämtliche Willenshandlungen gehören? Unsere einfache Antwort lautet: in phylogenetischer
Differenzierung, auf dem Weg der natürlichen Anpassung.
Solche These bedarf eingehender Begründung, da die Erklärungsprinzipien des Darwinismus in der materialistischen
Psychologie bedauerlichen Missbrauch erfahren haben. Sollten
doch — und DARWIN's Untersuchungen über den Instinkt
waren nicht ohne Schuld an diesem Missverständnis — durch
Selektion und Vererbung die Bewusstseinserscheinungen der

tierischen Triebe und Willenshandlungen erklärt werden, obgleich es selbstverständlich ist, dass der Darwinismus zu den
psychischen Vorgängen als solchen überhaupt ohne Beziehung
ist. Der Darwinismus erklärt die Entwicklung körperlicher
Gebilde, die den Trägern oder deren Nachkommen zweckmässig
sind; das, was in der Seele eines Geschöpfes vorgeht, die
psychische Begleiterscheinung eines körperlichen Prozesses
kann dagegen nie Grund einer Auslese sein; für die Erhaltung
des Individuums ist es offenbar gleichgiltig, ob ein zweckmässiger Bewegungsvorgang von Bewusstseinserscheinungen begleitet ist oder nicht. Unsere Betrachtung wird durch diesen
Einwand natürlich nicht gestört, da wir vom Bewusstsein vorläufig ganz abstrahiert haben und nicht behaupteten, dass
durch Anpassung der Trieb oder der Wille entsteht, sondern
dass durch Anpassung nur jener Mechanismus entstanden sei,
welcher bei den Einwirkungen der Aussenwelt zweckmässige
Bewegungen auslöst.

Vergegenwärtigen wir uns, was die Naturforschung eigentlich unter natürlicher Anpassung versteht oder richtiger verstehen muss, wenn der Begriff methodologisch fruchtbar bleiben
soll und nicht nur zum nutzlosen Sammelnamen für alle möglichen, durch Vererbung nicht zu erklärenden Erscheinungen
gemacht wird. Von natürlicher Anpassung darf nur dann die
Rede sein, wenn eine organische Einheit, deren Teile ent-
wicklungs- oder fortpflanzungsfähig sind, unter dem Einfluss
einer relativ konstanten Bedingung steht, und vermittelst Selektion und Fortpflanzung der zufällig zweckmässigen Teile, die
organische Einheit schliesslich diejenige Form annimmt, welche
bei Fortbestehen jener äusseren Bedingung für ihre Selbsterhaltung am zweckmässigsten ist. Mit Hilfe dieses Prinzips
kann offenbar aus der Erkenntnis, für welchen konstanten Einfluss eine Einrichtung zweckmässig ist, der wichtige Schluss
gezogen werden, dass jener Einfluss die Bedingung für das
Entstehen jener Einrichtung war. Nur darf nicht übersehen
werden, dass sich dieses Darwinistische Prinzip zweier sehr

ungleich erklärbarer Voraussetzungen bedient; die eine Voraussetzung ist die Selektion, welche unmittelbar verständlich ist: die durch die Variationen der Bedingungen, durch Kreuzung u. s. w. entstehenden kleinen Abweichungen bedingen eine Förderung der einen, eine Beeinträchtigung der anderen Teile, eventuell Fortpflanzung der einen, Untergang der anderen. Ganz unverständlich ist dagegen die andere Prämisse: die Vererbung; wie es dazu kommt, dass aus organischen Geschöpfen neue gleichartige erzeugt werden, kann in den einzelnen Stadien verfolgt, aber nicht erklärt werden. Wir müssen es eben als Thatsache hinnehmen. Sobald wir die nicht zu bezweifelnde Voraussetzung der Vererbung aber anerkennen, so ist der Vorgang der Anpassung klar und verständlich.

Ist die organische Einheit ein Gewebe, so tritt die Selektion zwischen den Zellen ein; die einen werden in ihrer Entwicklung gefördert und vermehren sich, die anderen gehen zu Grunde, bis das Gewebe jener auswählenden Bedingung angepasst ist. Wenn die organische Einheit ein Organ ist, so konkurrieren die Gewebe; ist es ein Organismus, so tritt ein Kampf der Organe ein; ist es eine Spezies, so kämpfen die Individuen, und ist jene organische Einheit die gesamte organische Welt, die sich der anorganischen anpasst, so konkurrieren als Teile sämtliche Spezies. Wenn wir den sensorisch-motorischen Apparat der Tiere als Anpassungsprodukt auffassen wollen, so kann die Einheit, für die er als zweckmässig gelten soll, nur die Spezies sein. Die äusseren Bedingungen, die auf den einzelnen Organismus wirken, können nicht durch Beförderung oder Beeinträchtigung seiner Teile einen solchen Apparat hervorbringen; wir haben nur zu untersuchen, ob dagegen die Spezies, als Einheit genommen, durch Selektion ihrer Teile, der einzelnen Individuen, das Substrat der Reflexbewegungen als Anpassung erlangen konnte. Zwei Klassen von, jeder Spezies gemeinsamen, Einrichtungen werden ja allgemein als Anpassung betrachtet, die passiv schützenden Eigentümlichkeiten, wie Farben, Hüllen u. s. w., welche dem

Bedingungskomplex der drohenden Gefahren angepasst sind, vor allem aber die gesamten Mechanismen, welche dem vegetativen Leben dienen, der Verdauungs-, Resorptions-, Zirkulations- und Sekretionsapparat. Nur die vergleichende Physiologie kann lehren, wie von der Saftströmung der die Nahrung umschliessenden Amöbe bis zum vegetativen Apparat des Säugers jede Stufe eine vollkommene Anpassung an die äusseren, immer komplizierteren Lebensbedingungen repräsentiert, und in diesen Bedingungen wieder die Ursache lag für die zunehmende Differenzierung des so zweckmässigen Apparates. Es fragt sich nun, ob dieser Art auch der aus Sinnesorganen, centripetalen, gangliösen und centrifugalen Nerven und aus Muskeln mit Knochenhebeln zusammengesetzte Apparat zu erklären sei. Das ist ja klar, wiewohl es meist unberücksichtigt bleibt, dass ein einzelner Teil dieses Mechanismus, etwa ein Sinnesorgan oder ein Lokomotionsapparat, für sich allein nicht durch Anpassung mittelst Selektion erklärt werden kann, denn ein Sinnesorgan, dessen Reize sich nicht in zweckmässige Bewegungen umsetzen, ein Bewegungsapparat, der nicht unter der Leitung sensorischer Reize steht, lässt das Geschöpf ohne Konnex mit seinen äusseren Bedingungen und ist ihm daher wertlos.

Die Annahme, dass der sensorisch-motorische Apparat, der alle tierischen und menschlichen Bewegungen auf äussere Reize hin notwendig auslösen soll, wirklich nur Anpassungsprodukt der Tierwelt sei, diese Annahme scheint auf den ersten Blick durch drei Einwände widerlegt.

Zunächst bietet die Kompliziertheit des Apparates Schwierigkeit; wie soll es denkbar sein, dass auf so einfachem Wege ein Mechanismus entstanden sei, der z. B. im Menschen trotz der unendlich mannigfaltigen Bedingungen der Aussenwelt doch in jedem Moment die für seine Erhaltung zweckmässigen Bewegungen des Geh- oder Sprech- oder Handarbeitsapparates auslöst? Und dennoch dürfte die Kompliziertheit des Apparates nicht so unvermittelt dastehen. Nicht nur, dass wir diesen Apparat Stufe für Stufe zurückverfolgen können bis zu dem Infusorium, das sich, dem Reiz entsprechend, nur zusammenzieht oder ausstreckt, sondern wir haben vor allem im Ernährungsapparat einen durchaus nicht viel einfacheren Mechanismus. In einem Menschenkörper, in den eine reichliche Mahlzeit gemischter Kost eingeführt ist, geht in den nächsten Stunden eine Arbeit vor sich, in der viele Millionen Zellen mitleisten und die Arbeit jeder einzelnen zweckmässig ist; ihr fehlerloses Zusammenwirken, ihre Auswahl des Ernährenden, ihre Verarbeitung der Nährstoffe und Zuführung zu den nahrungsbedürftigen Teilen, ihre Ausscheidung des für den Körper wertlosen, alles deutet, wie der Physiologe weiss, auf so unendlich komplizierten Mechanismus, dass die Verrichtungen des Gehirns durchaus nicht so viel zweckmässiger und verwickelter erscheinen; und dennoch denkt niemand an eine mit chemischen Kenntnissen ausgestattete Unterleibsseele, sondern sieht auch in dem unendlich weisen Mechanismus des vegetativen Apparates nur das Produkt phylogenetischer Anpassung.

Viel wichtiger scheint der Einwand, dass offenbar bei denjenigen Handlungen des Menschen, die wir auf Moral und Intellekt zurückführen, die Disposition des physiologischen Substrates eine nebensächliche Rolle spielt neben den viel wichtigeren Einflüssen der Gewohnheit, der Überlegung, des Unterrichts u. s. w. Wir dürfen dabei nur nicht vergessen, dass, vom physiologischen Standpunkt, die Gewohnheit nur ein häufiger Wiedereintritt desselben Reizkomplexes ist, der Unterricht nur eine bestimmte Reihenfolge von Licht- und Schallreizen, die Überlegung nur ein gesetzmässiger Ablauf von Reiznachwirkungen, kurz, dass ein qualitativ neues Moment dadurch nicht herbeigezogen wird. Dass der neugeborene Mensch nicht etwa im stande sei, mit Hilfe seines angeborenen Mechanismus, gleich zu sprechen und zu schreiben oder moralisch zu handeln, das bedarf nicht erst des Hinweises; dass aber der Mensch unter der sein Leben begleitenden Einwirkung von Millionen Reizen, mögen wir sie als Erfahrung, Übung, Unterricht oder sonst irgendwie gruppieren, dahin gelangt, logisch und moralisch zu handeln, das setzt doch wohl einen ganz besonderen sensorisch-motorischen Mechanismus voraus, denn ganz dieselbe Reihenfolge von Reizen würde den Frosch mit seinem primitiveren Apparat niemals zu solchen Bewegungen veranlasst haben. Der Apparat allein ist das Wesentliche und der Erklärung Bedürftige. Das ist dann ja selbstverständlich, dass, wenn es Aufgabe dieses Mechanismus ist, auf bestimmte Reize mit bestimmten Muskelkontraktionen zu reagieren, dass dann derjenige, auf welchen die Millionen Reize der Erziehung und des Unterrichts einwirken, zu viel komplexeren Handlungen gelangt, als der wild Aufwachsende, in welchem die eintönigen Anregungen auch nur die notdürftigsten Handlungen auslösen ohne „Intellekt“ und „Moral“.

Es fragt sich also nur: lässt sich ein solcher, allen Menschen, gegenüber anderen Spezies, relativ gleichartig angeborener Apparat wirklich durch Auslese des Zweckmässigen, durch natürliche Selektion, so wie etwa der Zirkulations- oder Digestionsapparat, erklären? Offenbar nur unter der einen Bedingung, dass die Leistungen des Apparates unter jeglichen einwirkenden Bedingungen der Erhaltung des Trägers oder seiner Nachkommen wirklich vorteilhaft sind, während ein anders eingerichteter Apparat der Erhaltung oder Fortpflanzung schädlich wäre. Und dieses ist der Punkt, wo der dritte Einwand anknüpft. Die thatsächlichen Leistungen des Apparates sind, so behauptet er, durchaus nicht immer dem Träger desselben oder seinen Nachkommen zweckmässig, im Gegenteil, gerade die höchsten Leistungen sind wie die intellektuellen für die Erhaltung indifferent, oder gar, wie die moralischen, der Selbsterhaltung schädlich und dem Mitlebenden nützlich, dem Selektionsprinzip also gerade entgegengesetzt. Zur Widerlegung dieses wichtigen Einwandes ist eine eingehende Erörterung aller äusseren

Willenshandlungen unter dem Gesichtspunkt der Zweckmässigkeit und der Selektion notwendig; können wir wirklich darlegen, dass sämtliche in der organischen Welt vor sich gehenden normalen Bewegungen für den Ausführenden oder dessen Nachkommen unter dem dazu veranlassenden Bedingungskomplex nützlich sind, so ist die Möglichkeit bewiesen, das materielle Substrat des Vorganges, d. h. den sensorisch-motorischen Apparat, welcher alle Bewegungen auf den äusseren Reizkomplex hin notwendig auslöst, als Produkt phylogenetischer Selektion zu betrachten. Es bliebe dann, bis auf den unerklärten aber auch unbezweifelbaren Vorgang der Vererbung, in der ganzen Summe der psychomotorischen Prozesse nichts, was vom materialistischen Standpunkt des Physiologen sich nicht als notwendige Wirkung erkannter Ursachen erklären lässt, wobei selbstverständlich die organische Materie, das erste fortpflanzungsfähige Protoplasmaklümpchen als gegeben vorausgesetzt ist.

Es ist nicht etwa nur theoretische Annahme, wenn wir die ersten Anfänge des phylogenetisch zu verfolgenden Mechanismus schon in der niedersten Tierwelt suchen; die Resultate empirischer Untersuchungen über die Bewegungen der Protozoen laufen vielmehr übereinstimmend darauf hinaus, dass die Vorgänge nicht zu erklären sind „ohne Annahme einer die Bewegungen regelnden Empfindung". Von der psychologischen Empfindungs-Hypothese befreit, heisst das doch nur: die Bewegungen erfolgen derart, dass sie nicht verständlich werden ohne Annahme eines Mechanismus, der die Bewegungen unter gewissen äusseren Bedingungen so auslöst, als wenn sie ausgewählt würden, d. h. zweckmässig für die Erhaltung des Geschöpfes.

Es wäre falsch, zu sagen, dass jene Tiere oder die Tiere überhaupt diesen eigentümlichen Anpassungsmechanismus erworben haben; vielmehr umgekehrt: diejenigen Geschöpfe, welche diesen Apparat besitzen, nennen wir Tiere. Heute freilich kennen wir eine Reihe niederster Organismen mit zweckmässiger Bewegungsfähigkeit, welche wir dennoch ihrer chemischen Prozesse wegen bequemer zu den Pflanzen rechnen; da aber auch die chemische Betrachtungsweise wie alle anderen keine scharfe Grenze zwischen beiden Reichen erlaubt, beweist das nur, dass die Begriffe Pflanze und Tier bei den niedersten Formen in einander übergehen; bei den höheren Formen aber, für die jene Klassifikationen gebildet wurden, war das zur Trennung Veranlassende zweifellos der Besitz oder Mangel zweckmässiger Bewegungsfähigkeit.

Die niedersten Tiere besitzen also thatsächlich eine Organisation, derzufolge sie Bewegungen ausführen, die zu den einwirkenden Reizen in zweckmässiger Beziehung stehen; unter dem Einfluss eines ihm schädlichen Bedingungskomplexes verändert das Protozoon die Lage seiner Teile so, dass es soviel als möglich sich dem schädlichen Einfluss entzieht; gegenüber unschädlichen oder fördernden Reizen behält es in zweckmässiger Weise seine alte Lage bei oder nähert sich der Reizquelle. Diese selbst kann für das einzellige, undifferenzierte Geschöpf natürlich nur ein unmittelbar berührender Gegenstand sein; Sinnesepithelien haben sich noch nicht entwickelt, Druck- und Temperaturreize allein können mithin die Bewegungen im Sinne der Annäherung und der Zurückziehung, der kugligen Oberflächenverkleinerung und gestreckten Vergrösserung bei jenen niedersten Wesen hervorrufen, aber für die gleichförmigen Lebensbedingungen der Protozoen reicht jener Mechanismus vollkommen aus, ja, wer jemals unter dem Mikroskope beobachtet, wie die Amöben etwa einer Alge bei zufälliger Berührung sofort sich nähern und sie zur Nahrungsaufnahme umschliessen, der kann nicht zweifeln, dass es einen nützlicheren Mechanismus für jene niederen Geschöpfe nicht geben kann. Wenn nun alle übrigen Anpassungen, die sich auf Ernährung, Respiration u. s. w. beziehen, durch Selektion der Individuen im Kampf ums Dasein entstanden sind, weshalb soll dann nicht jene nützliche Struktur, welche eine Störung durch Ausweichung, eine Förderung durch Annäherung beantwortet, als Anpassung an die

Verhältnisse auch durch natürliche Zuchtwahl sich entwickelt haben? Gerade bei den niedersten Wesen, die durch ihre starke Vermehrung der Auslese ein so unendlich zahlreiches Material bieten, muss jede zufällig auftretende nützliche Eigenschaft von durchgreifender Bedeutung sein, zumal eine Eigenschaft, die nicht erst gewisser Höhe bedarf, um wirksam zu werden, sondern auch im kleinsten Ansatz eine wenn auch verhältnismässig kleine günstige Chance für ihren Träger mit sich bringt. Wenn unter den Milliarden niederster Wesen nur einige zufällig so variierten, dass bei ihnen unter schädlichen äusseren Einflüssen auch nur die geringste Kontraktion im Sinne einer Ausweichung eintrat, so mussten sie durch den grösseren Prozentsatz der Erhaltungschance sich stärker als andere vermehren, die Tiere mit dieser Fähigkeit mussten das Übergewicht erlangen und schliesslich allein übrig bleiben, zumal die Fähigkeit selbst wieder langsam gesteigert wurde durch die häufige Wiederholung und je gesteigerter, desto wirksamer in der passiven Konkurrenz der Individuen war.

Das Protozoon ist nun mit diesen Fähigkeiten seinen äusseren Bedingungen vollkommen angepasst: die einfache ausweichende oder annähernde Bewegung genügt für die Reize, die es beeinflussen. Komplizierteren Bedingungen, vor allem komplizierterem Bau kann dieses nicht mehr genügen. Nun ist ja bekannt, wie besonders die Volumenzunahme, um die Proportion zwischen Masse und Fläche zu bewahren, zu Ein- und Ausstülpungen und dadurch zu Komplikationen des Baues führen musste. Soll das differenziertere Tier sich dennoch erhalten, so werden verschiedene Reize nun verschiedenartige Bewegungen, vor allem lokale Reize nur lokale Bewegungen hervorrufen müssen, jedenfalls aber wird stets die Organisation ein festes Wechselverhältnis von physischer Reizbarkeit und Bewegungsfähigkeit aufweisen. So weit auch immer die Komplikation eines Tieres gehen mag, das werden wir schon theoretisch postulieren können, dass — wie sich die Respiration nicht ändern kann ohne die Zirkulation, wie ein Teil des Verdauungsapparates den anderen bedingt, wie die Länge der Extremitäten auch die entsprechende Länge des Halses fordert — dass ähnlich auch die Möglichkeit des Körpers, von Reizen alteriert zu werden, nicht zunehmen kann, ohne dass die Fähigkeit zunimmt, zweckmässig zu reagieren, und dass ebenso eine neue Fähigkeit erweiterter Reaktion sich nicht herausbilden kann, wenn nicht durch neue Reize veranlasst. Wo auch immer eine neue Reizbarkeit bei einer Art gegeben, stets mussten die Individuen siegen, deren Organisation zufällig eine zweckmässige Reaktion bewirkte. Diese zunehmende körperliche Reaktionsfähigkeit verlangte, zumal sie immer mehr lokal wurde, des besonderen Apparates. Die molekulare Bewegung wird sich von Anfang an, insofern einzelne Bestandteile des Protoplasma leichter isomere Umwandlungen durchmachten als andere, längs einzelner Linien bewegt haben; jede neue Bewegung wird dazu beigetragen haben, die Bahn für die Reizwelle leichter durchgängig zu machen, und so bildete sich, stets unterstützt von natürlicher Zuchtwahl, schliesslich der Nerv als Entladungsbahn zur Leitung von Eindrücken.

Je mehr aber der Prozess von Erschütterung zu Bewegung in den Nervenfasern isoliert ist, desto mehr entzieht seine physische Seite sich unserer Kenntnis. Während beim Protisten die ganze Masse gereizt und die ganze Masse bewegt werden konnte, bleibt uns in den höheren Formen nur der erste Anfang der Reizung, die Erregung der Sinnesorgane, und das letzte Ende der Bewegung, die Kontraktion des Muskels erkennbar; der zwischen beiden vermittelnde Prozess erfolgt dagegen innerlich.

Um die Entwicklung dieses im Körperinneren liegenden Apparates wirklich in seinen Leistungen zu verfolgen, bietet sich nur ein einziger Weg, und dieser Weg ist uns hier verschlossen. Wir müssten nämlich, während wir doch davon ausgegangen waren, zunächst nur die körperlichen Vorgänge zu betrachten, statt dessen jene psychologischen Erscheinungen verfolgen, die in den praktisch üblichen Analogieschlüssen als

Korrelat des unverfolgbaren nervösen Vorgangs vorausgesetzt zu werden pflegen. Wenn wir diesen Weg dennoch vorübergehend für einen Augenblick betreten, so geschieht es nur, um das Prinzip dieser Entwicklung möglichst klar zu bezeichnen. Wir würden dann also nicht sagen: das einzellige Tier besitzt einen Mechanismus, durch den auf einen schädlichen Druckreiz eine zurückziehende Bewegung folgt, sondern: auf seine Druckempfindung folgt der Trieb zum Zurückziehen. Das Prinzip der Differenzierung wäre dann, dass diese Empfindung sich ebenso wie jener Trieb bis ins Unendliche kompliziert; aus der Empfindung werden Vorstellungen der verschiedensten Sinnesgebiete, es entstehen Vorstellungsreproduktionen, Associationen, Gedächtnis, Urteile, Schlüsse, Überlegungen, schliesslich das System der Wissenschaft und dennoch, wenn wir nicht den logischen Wert, sondern die objektive Bedeutung betrachten, ist jene wissenschaftliche Schlussbildung des Kulturmenschen doch qualitativ nichts anderes als jene Druckempfindung des Protisten, nämlich Erkenntnis der wirklichen Welt, soweit sie für jedes Geschöpf, entsprechend seiner Differenzierung, für seine Erhaltung in Betracht kommt. Der Erkenntnisseite entsprechend entwickelt sich der Trieb, er wird, wo die Möglichkeit mannigfacher nützlicher Bewegungen empfunden wird, zur Willkür, die immer mehr koordinierte Bewegungen umfasst und Reflexe sich dienstbar macht, schliesslich statt des Körpers noch das Werkzeug zu Hilfe nimmt und die Natur beherrscht. Aber der Kulturmensch, der so unendlich viel weiss und so unendlich viel kann, ist in anbetracht seiner Differenzierung dem auf ihn wirkenden Bedingungskomplex nicht vollkommener angepasst als das Infusorium; vor allem sein Wissen und sein Können ist ein absolut sich wechselseitig bedingender Komplex, genau wie Reizbarkeit und Bewegung des Protisten zusammengehören; das eine konnte ohne das andere nicht entstehen oder wenigstens, wo es entstand, nicht erhalten bleiben, weil es zwecklos wäre.

Wir müssen, wie gesagt, auf diesen Weg psychologischer
Verfolgung grundsätzlich verzichten, da wir nur die körperlichen Vorgänge untersuchen; ein Berühren der Einzelheiten
ist daher unmöglich, denn was sich psychologisch betrachtet
als Einheit bietet oder wenigstens durch ein Wort bezeichnen
lässt, wie Begriff, Urteil, Schluss, das zerfällt bei physiologischer
Betrachtung in eine Unzahl von Erregungen, die sich einer
Darstellung völlig entziehen, wiewohl das Postulat ihres Vor-
handenseins unabweisbar ist. Wir dürfen hier also nur daran
erinnern, wie die vergleichende Anatomie der Sinnesorgane
eine kontinuierliche Stufenreihe der reizaufnehmenden Apparate
nachweist. Hatte ursprünglich die ganze Oberfläche gemeinsam
der Aufnahme mechanischer und chemischer Reize gedient, so
entwickeln sich für jene die Organe des Tast- und Gehörsinnes,
für diese die Organe des Temperatur-, Geruch-, Geschmack-
und Gesichtssinnes. Die Bedeutung dieser Differenzierung für
die Selbsterhaltung ist klar; erst Auge, Ohr und Nase ermöglichen es, dass auch solche Gegenstände auf den Organismus
einwirken, die ihn nicht unmittelbar berühren, und somit erweitert sich der Komplex derjenigen Bedingungen, welche die
Auslösung seiner zweckmässigen Bewegungen veranlassen, von
der engen Sphäre der im Augenblick fühlbaren Dinge auf den
weiten Kreis der von seinem Raumpunkt aus sehbaren, hör-
baren und riechbaren Gegenstände. Aber die Differenzierung
schreitet fort. Von zwei nacheinander oder nebeneinander
einmal zur Einwirkung gelangten Reizen vermag bei phylogenetisch gesteigerter Differenzierung des Centralapparates die
eine durch objektive Einwirkung entstehende Erregung sofort
die andere früher verbundene Erregung im Körper ebenfalls
auszulösen und diese Reproduktionsfähigkeit der Erregung dient
aufs neue der sensorisch-motorischen Anpassung. Wenn dort,
wo zwei Gegenstände in räumlichem oder zeitlichem Zusammenhang stehen, ein Tier im stande ist, sobald der eine Gegenstand
in seine sinnliche Wahrnehmungssphäre gelangt, sofort auch
die Reizung von dem noch ausserhalb der Sinnessphäre be-

findlichen anderen Gegenstand zu erfahren, so ist der Bedingungskomplex, der auf die Bewegungsregulation einwirkt, doch offenbar über den Kreis der unmittelbaren auf die Sinnesorgane wirkenden Dinge erweitert; und wenn diese Reproduktionsfähigkeit durch immer neue Leitungsbahnen im Hirne wächst, so muss schliesslich der Erregungszustand des Hirns nicht mehr den wenigen Bedingungen nur entsprechen, welche in bestimmtem Moment im Hör-, Witterungs- oder Gesichtskreis des Organismus liegen, sondern sich auf alle Dinge beziehen, die jemals im gesamten Leben in diesen Kreis eingetreten. Es bedarf kaum des Hinweises, dass dieser Fall beim Menschen nicht nur verwirklicht, sondern noch erheblich zu seinem Nutzen kompliziert ist. Das menschliche Gehirn vermag den Erregungskomplex, der von einem Gegenstand hervorgerufen wird, in seine Elemente zu zerlegen, diese Erregungselemente zu isolieren und neu zu kombinieren, und somit kann durch Reproduktion der Reizteile auf gewisse äussere Anregung hin ein cerebraler Erregungsprozess entstehen, welcher Gegenständen entspricht, die thatsächlich niemals in die sinnliche Wirkungssphäre des betreffenden Menschen getreten sind; so wird der Kulturmensch schliesslich cerebrale Erregung von jedem Gegenstand der Erde erleiden können. In der That ist die Summe der irdischen Dinge der Bedingungskomplex, der, wofern der Mensch sich erhalten will, seine Handlungen ebenso beeinflussen muss, wie die Bedingungen des Wassertropfens den Bewegungsmechanismus des Infusoriums.

Wenn wir die Bewegungen verfolgen, die dem Anwachsen des erregenden Bedingungskomplexes entsprechen, so dürfen wir nicht vergessen, dass auf der höheren Stufe die Erregungen und somit auch die Bewegungen der niederen Stufe erhalten bleiben. So spielen namentlich die Einflüsse, die dem Körper durch direkte Berührung nützlich oder schädlich werden, auf allen Stufen eine wichtige Rolle, zumal der unmittelbar berührende Einfluss meist das Schlussglied auch bei zusammengesetzten Bedingungskomplexen bildet. Wenn der Hund zum

Bach läuft, so wird er durch eine Reizsumme in Bewegung
gesetzt, deren Reizquellen ihn nicht berühren; wenn er aber
mit der Zunge ans Wasser kommt, so löst der unmittelbar
die Körperoberfläche berührende Reiz die zweckmässigen Saug-
und Schluckbewegungen aus. Das Grundprinzip der bei Berührung eintretenden Bewegung bleibt stets die Annäherung an
die fördernde Reizquelle, die Entfernung von der schädigenden.
Der Körper drängt sich heran beim Einschliessen und Festhalten der Nahrung, beim Saugen, Trinken, Lecken, Fressen;
überall sucht der Körper, was beim Protozoon für die ganze
Masse gilt, in differenziertem Zustand mit einzelnen Teilen sich
der Nahrung anzudrängen. Andererseits zieht der Körper sich
fort, wenn er sich duckt, seine Teile einzieht, sich räumlich
wegbewegt, flüchtet, oder er strebt, wenigstens den verletzten
Teil zu entfernen, wenn er sich reibt, kratzt, Ausläufer aus-
sendet, sich schüttelt und um sich schlägt.

Wir sahen auf höherer Stufe der Differenzierung die
Sinnesorgane es ermöglichen, dass ein Gegenstand auf das
Nervensystem erregend wirkte, ohne den Körper selbst direkt
zu berühren. Diese Eigenschaft musste offenbar überall da
gezüchtet werden, wo wegen steigender Kompliziertheit im Bau
die Reaktion auf direkte Berührung nicht mehr zur Ernährung und zum Schutz ausreichen konnte, denn erst wo Sinnesorgane die Reizquellen im weiteren Umkreise erschliessen, können
Bewegungen eintreten, die auf Annäherung hinzielen zu Objekten, die bei Berührung förderlich sind, oder Entfernung
von Gegenständen, denen nahe zu kommen gefährlich ist.
Während das auf Berührungsreize beschränkte Tier nur die
Beute verschlingt, die an seine Körperoberfläche getrieben
wird, kann das mit Sinnesapparaten ausgestattete Tier sich
der Beute nähern, die in seiner Umgebung Licht- oder Duft-
oder Schallreiz veranlasst, wie es umgekehrt dem Widerstand
ausweichen kann, ehe die schädigende Berührung eingetreten.
Die auf höhere Sinnesreize erfolgenden Annäherungsbewegungen
dienen im allgemeinen der Ernährung, die Entfernungsimpulse

dem Schutz. Dahin gehört also einerseits das Holen, Er-
jagen, Überfallen, Heranlocken der sichtbaren Beute, andererseits das Fliehen, Verkriechen, Verteidigen, Drohen vor dem
Feind, das Ausweichen vor dem Widerstand u. s. w. Durch
welche Sinnesorgane, ob durch Auge oder Ohr oder Nase
das Individuum von der Anwesenheit der ihm nützlichen oder
schädlichen Objekte erregt wird, das hängt natürlich von den
Eigentümlichkeiten der Bedingungen ab, ebenso wie von dem
Wesen derselben, richtiger von dem Verhältnis seines Wesens
zu dem des Objekts abhängt, ob es vor dem Feind flüchtet
oder sich gegen ihn verteidigt, ob es die Beute verfolgt oder
ihr auflauert.

Nun kann sich der Organismus aber noch mehr komplizieren, so dass er unter gleichen Bedingungen sich nicht mehr
mit seinen alten Fähigkeiten erhalten kann; die paar Objekte,
die auf seine Sinnesorgane wirken, reichen, auch wenn er sich
ihnen nähert, als Nahrung nicht mehr aus, oder, wenn er sich
auch vor den paar schädlichen Objekten, die er wahrnimmt,
schützt, so ist von einem wirklichen Schutz doch nicht mehr
die Rede, weil durch die aus anderen Gründen zunehmende
Differenzierung die Chance der Gefährdung wesentlich gestiegen
ist. Hier setzt nun jene Fähigkeit des Centralapparates ein,
frühere Erregungen durch associierte Reize reproduzieren zu
können; Bewegungen, welche aus solchen associierten Erregungs-
reproduktionen hervorgehen, sind dann also entweder Entfernung oder Annäherung an solche Objekte, die noch überhaupt nicht augenblicklich in der Sphäre der Sinneswahrnehmung
waren. Die Fähigkeit, in der verschiedensten Umgebung und
im Wechsel der Verhältnisse stets das der Erhaltung dienliche zu thun, hat gegenüber der früheren Stufe dadurch eine
Ausbildung gewonnen, die besonders bei einseitiger Entwicklung gewisser Sinne Erstaunliches leistet. Hierhin gehört nun,
natürlich immer den speziellen Verhältnissen entsprechend, auf
der Seite der Annäherung das Abjagen, Beschleichen, Stehlen
und Fallenlegen, das Umhersuchen auf Beutejagd, das Wan-

dern der Vögel zum Süden, und vieles andere; auf der Seite der Abwehr des Gefährdenden ist vor allem das Bauen von Wohnungen zum Schutze gegen Feinde und Klima, das Schutzsuchen, Verstecken u. s. w. zu nennen.

Der nächste Fortschritt des sensorisch-motorischen Apparates, der psychologisch betrachtet in Begriffs- und Schlussbildung, in Willensentschlüssen auf Grund von Überlegungen scheinbar dem einfachen Gedächtnis gegenüber so ganz Neues bietet, dieser Fortschritt ist von unserem physiologischen Standpunkt rein objektiv gesehen ein nur quantitativer; durch unzählige unmerklich kleine Abstufungen ist der neue Zustand mit dem phylogenetisch niedrigeren verbunden. Bestand der die zweckmässigen Bewegungen auslösende Bedingungskomplex dort nur aus denjenigen Dingen, die mit den Gegenständen der momentanen Sinnessphäre zeitlich-räumlich zusammenhingen, so erweitert sich der cerebrale Erregungen auslösende Teil der Wirklichkeit jetzt auch auf diejenigen Gegenstände, welche erst durch mehrere, schliesslich durch unendlich viele Erregungs-Zwischenglieder sich auf das räumlich-zeitliche Zusammensein zurückführen lassen. Dem entsprechen dann auch Bewegungen, welche nicht unmittelbar, sondern erst durch eine wachsende Reihe von Hilfsbewegungen den nützlichen Effekt erzielen; selbst unmittelbar schädliche Bewegungen können notwendig werden, um die schliesslich nutzbringende Endbewegung zu ermöglichen. Statt das im einzelnen zu verfolgen, was weit über den Rahmen dieser Studie hinausginge, erinnern wir nur an den Höhepunkt der Entwicklung. Bedeutet der Wissensreichtum des Kulturmenschen doch physiologisch, dass sein Hirnmechanismus es ermöglicht, von den räumlich und zeitlich entferntesten Molekularvorgängen selbst molekular erregt zu werden; und dem entspricht die unendliche Komplikation der nützlichen Bewegungen, nicht nur durch die Einübung der Koordinationen, sondern jetzt auch durch die Schaffung des Werkzeugs, das als Waffe, Kleidung, Feuer, Schiff, Maschine die Leistungsfähigkeit des Körpers seiner Erregungsfähigkeit ent-

sprechend steigert. Indem auch diese sich in schaffende und
zerstörende einteilen lassen, ist damit wieder jene Zweiheit der
Richtung angedeutet, welche sich auf Herbeiführung des Nützlichen und Beseitigung des Schädlichen bezieht. Dass in dem
hier skizzierten Sinn der Selektionsprozess in der Natur noch
fortwährend züchtet und ausliest, ergiebt sich auf den ersten
Blick. Ein Tier, bei dem der Duft der giftigen Pflanze Annäherung auslöst, ein Junges, dem der Reiz der berührenden
Nahrung keine Saug- oder Kau- oder Schluckbewegungen erzeugt, ein Geschöpf, das entgegen dem Mechanismus seiner
Art, auf den umgebenden Bedingungskomplex nicht durch die
zum Nestbau oder Gespinnst nötigen Bewegungen reagiert, sie
alle haben geringere Erhaltungschancen oder werden vom Aus-
leseprozess direkt beiseite geschafft. Ein Vogel, dem der
Bedingungskomplex der herbstlichen Natur nicht die Bewegung
zur südlichen Wanderung veranlasst, ist nicht besser daran,
als einer, der ohne Flügel geboren. Und dasselbe gilt vom
Menschen. Wen der infizierende Schmutz oder der Alkohol
besonders zur Annäherung veranlasst, hat geringe Erhaltungschancen; wer in seinen Handlungen nicht von den zukünftig
in seine Sinnessphäre tretenden Bedingungen schon vorher geleitet wird — wir nennen solchen Menschen dumm, beschränkt,
unbegabt — ist in wesentlichem Nachteil im Kampf ums Dasein. Wo solche mangelhafte Verbindung von Erregung und
Bewegung ganz besonders stark sich zeigt, da sprechen wir
von Geisteskrankheit; wer unter bestimmtem Bedingungskomplex keine Essbewegungen ausführt, verhungert durch seinen
ihm schädlichen Gehirnmechanismus, ebenso wie einer, dessen
vegetatives System zerstört ist; er hat nicht die geringsten Chancen zur Fortpflanzung seines sensorisch-motorischen
Apparates.

Alle Bewegungen, die wir bisher betrachtet, erwiesen sich
für den auf bestimmter Differenzierungsstufe stehenden Körper
als zweckmässig und als notwendig zur Selbsterhaltung; es
ergaben sich somit für den sensorisch-motorischen Apparat also

die Thatsachen, die uns überall in der organischen Welt zu der Annahme einer Entstehung durch Selektion veranlassen. Offenbar ist aber dieser Beweisgang damit erst unzureichend durchgeführt, da alles, was wir bisher berücksichtigt, sich auf das zweckmässige Verhalten des einzelnen Geschöpfes zur Natur beschränkte, ein besonders für den Menschen nicht minder wichtiger Kreis von Handlungen sich aber auf das Verhalten des einzelnen Individuums zu den Geschöpfen derselben Art, des Menschen zu den Mitmenschen bezieht. Nur wenn die Funktionen des nervösen Mechanismus sich auch in dieser Beziehung als zweckmässig und notwendig für die eigene Erhaltung erweisen und nirgends überflüssig oder nur den anderen nützlich sind, dann allein werden wir die Behauptung, der nervöse Apparat sei in seiner Kompliziertheit nur Anpassungserscheinung, berechtigter Weise verallgemeinern dürfen.

Die theoretische Anpassungslehre müsste von vornherein postulieren, dass, wenn Individuen gleicher Art sich längere Zeit irgendwie gegenseitig beeinflussen, in phylogenetischer Entwicklung jedes Individuum allmählich diejenigen Eigenschaften erlangt, welche, falls das Zusammenleben fortdauert, für seine Selbsterhaltung am verhältnismässig günstigsten sind. Es fragt sich, ob solche wechselseitige Anpassung wirklich zu beobachten ist. — Die notwendige Bedingung für ihr Zustandekommen ist offenbar, dass die Individuen in Kommunikation leben; diese kann aber entweder in direkter Berührung und Verwachsung bestehen oder darin, dass jedes im stande ist, auf die Sinnesorgane des anderen durch Bewegungen einzuwirken. Fälle der ersten Art sind im Tierreich selten, aber, von anderen abgesehen, die Siphonophoren, die bekannten „Staatsquallen" bilden doch ein typisches Beispiel für die Art, wie wechselseitige Anpassung möglich ist. Jeder Teil einer Siphonophore entspricht einer Hydra oder einer Meduse, ist also ein Individuum, und dennoch haben die einen nur Verdauungswerkzeuge, andere nur Lokomotionsapparate, einige dienen zum Fang, einige als Schutz, kurz sie bieten ein anschauliches

Bild eingetretener Arbeitsteilung, bei der jedes einzelne Individuum in einer Richtung mehr leistet, als es zu seiner Selbsterhaltung nötig hat, dafür aber in anderen Beziehungen diejenigen für seine Erhaltung nötigen Leistungen, die es selbst nicht ausführen kann, von den anderen erhält. Das nur verdauende Individuum muss allerdings mehr Nahrung verarbeiten als seinem Stoffwechsel nötig ist, aber dennoch ist diese Mehrleistung das Zweckmässigste, was es für seine Selbsterhaltung leisten kann, denn nur dadurch ermöglicht es den anderen Individuen, ganz der Fortbewegung, dem Schutz, dem Nahrungsfang zu leben, zu dem es selbst nicht die Fähigkeit besitzt. Die einzelnen Individuen leisten also nicht etwas, was nur der Gesamtheit als solcher zu gute kommt, sondern in erster Linie kommt ihre Leistung ihrer eigenen Selbsterhaltung zu gut, wenn auch auf indirektem Wege. — Mit Hilfe dieses Schemas vereinfacht sich nun auch die Mannigfaltigkeit wechselseitiger Anpassung unter denjenigen Geschöpfen, die nicht durch unmittelbare Körperberührung, sondern durch Wirkung auf die Sinnesorgane untereinander in Beziehung stehen. Die wechselseitige Anpassung hat dann freilich nicht mehr den Spielraum, wie bei den zusammengewachsenen Geschöpfen; bei frei lebenden Tieren kann nicht das eine sich von dem ernähren, was das andere isst, die gegenseitige Unterstützung bleibt vielmehr beschränkt auf die Leistungen eines einzigen Apparates, eben jenes sensorisch-motorischen Mechanismus, der auf äussere Reize zweckmässige Bewegungen auslöst. Angenommen nämlich, Geschöpf A ist im stande, ausser den für seine Erhaltung notwendigen Erregungen auch noch solche zu erfahren, die für B nötig sind, und ist im stande, diese Erregungen dem B mitzuteilen, so könnte B vielleicht die entsprechenden Bewegungen für sich selbst und zugleich für A mit ausführen. Der unmittelbare Zweck der Kommunikation ist also die Mitteilung innerer Erregung; soll sie durch Wirkung auf die Sinnesorgane, also mittelst eigener Bewegung erfolgen, so können zu solchen „Ausdrucksbewegungen" jedenfalls nur diejenigen geeignet sein,

welche in dem zweiten Geschöpf dieselben Erregungen auslösen, die beim ersten die Bewegung verursachten. Der Gebrauch solcher Verkehrswege ist in der Tierwelt wahrscheinlich weiter verbreitet, als wirklich festzustellen vorläufig möglich ist. Am bekanntesten sind die Geräusche und Töne der
Vögel, die Antennenbewegungen der Ameisen und anderer Insekten, die Reibegeräusche gewisser Arthropoden, die Signale
der Affen u. s. w. Auch die menschlichen Verständigungs-
mittel sind das natürliche Produkt des Zusammenlebens. Nicht
hier kann verfolgt werden, durch welche Bedingungen die
menschlichen Gesten entstanden, wie die dem Auge sich bie-
tenden Bewegungen dann allmählich zu Gunsten der Geräusch-
erzeugung zurücktraten, und so in der Sprache sich ein Mittel
bot, nicht nur die Gegenstände und ihre Wirkungen zu bezeichnen, auf welche die Geste beschränkt ist, sondern immer
mehr die Elemente der Gegenstandswirkungen zu isolieren und
zu kombinieren. Nicht minder wichtig war es dann, als durch
bildliche Projektion der Gegenstände, durch Fixierung von
Merkzeichen die Erregung, welche von den Dingen ausgelöst
ward, für zeitlich und räumlich ferne Menschen bewahrt werden
konnte, als zur Schrift die Vervielfältigung des Buchdrucks,
die Schnelligkeit der elektrischen Leitung kam: aber die kom-
plizierteste Form der Mitteilung bleibt wie die einfachste doch
nur ein Hilfsmittel zur Ermöglichung der Arbeitsteilung, gleich-
wertig dem Zusammenwachsen jener Quallenindividuen.

Unsere Aufgabe ist es, nun den Inhalt des wechselseitigen
Verkehrs zu untersuchen, der durch jene Verkehrsmittel ermöglicht ist. Wir heben offenbar die weitaus wichtigsten und
typischen hervor, wenn wir die Erscheinungen der Familie,
der Gesellschaft, der Wirtschaft, des Staates und der Moralgemeinde erwähnen. Von einer wirklichen Erörterung dieser
Gebiete kann hier um so weniger die Rede sein, als selbstverständlich nur dann ihr Wesen erfasst werden kann, wenn
ihre psychologischen Erscheinungen und ihre ethische Bedeutung, die uns beide hier nicht bekümmern dürfen, eingehend

untersucht werden; wir haben es hier nur mit der Frage zu thun, ob die Erregungs- und Bewegungsvorgänge dieser Einrichtungen wirklich derart sind, dass sie als die für die Erhaltung des einzelnen Individuums denkbar nützlichsten Leistungen gelten müssen, und somit in der natürlichen Zuchtwahl dem einzelnen Subjekt Vorteil verschaffen. Nur die, bejahend ausfallende Antwort auf diese Frage gilt es hier mit ein paar Worten zu skizzieren.

Die Vorgänge des Familienlebens bedeuten freilich nur sekundär eine wechselseitige Anpassung zum Zwecke der Selbsterhaltung; primär ist die Erzeugung und Erhaltung der Nachkommen, die uns vorläufig nicht interessiert. Dennoch ist nicht zu verkennen, dass auch die Selbsterhaltung der Geschlechtswesen, besonders wenn im Gefolge des Sexualunterschiedes wesentliche Abweichungen des Körperbaues sich entwickelt haben, eine Arbeitsteilung zwischen den Familiengliedern nützlich, eventuell notwendig erscheinen lassen kann. Ist es doch bekannt, wie besonders bei den Bienen und Ameisen diese sekundären Funktionen der Familie so ausgebildet sind, dass man die Bewohner des Ameisenhaufens und des Bienenstocks früher fälschlich als Tierstaat bezeichnete statt als Tierfamilie. In den durch Polygamie zusammengehaltenen Affenbanden sorgen die Weibchen für die Pflege und Reinigung des männlichen Leitaffen, dieser für den Schutz der schwächeren weiblichen Tiere. Bei der Species Homo lässt sich von einer festen Familienform ja nicht sprechen, überall aber, wo das Zusammenleben den Geschlechtsakt überdauert, hat eine der Selbsterhaltung dienliche Arbeitsteilung sich ausgebildet. Der Mann wirkt nach aussen, die Frau nach innen. Dass der Mann stark, die Frau schwach ist, folgt aus Verhältnissen des Geschlechtslebens; dass nun aber der Starke und der Schwache nicht jeder für sich allein alle jene Bewegungen ausführt, die für seine Selbsterhaltung gegenüber dem äusseren Bedingungskomplex der Umgebung nötig sind, sondern die Muskelkontraktionen, welche für ihre beiderseitige Existenz nützlich sind,

lich wertvoll, welche weiterhin auch noch einem grösseren
Kreise nutzbar werden; die Erfolge der moralischen Handlungen sind also soziale und humane, für die Gesellschaft und
die ganze Menschheit handelt der Moralische, nicht für sich
selbst. Der Gesichtskreis der Ethik ist damit notwendig ab-
geschlossen; falls die sozialen und humanen Wirkungen selbst
zur Ursache einer weiteren Wirkung werden, so hat die Ethik
dieselbe nicht mehr zu behandeln, das hindert aber nicht, dass
unsere, wir möchten sagen, naturwissenschaftliche Betrachtung
gerade diesen letzten über die ethisch wertvollen Wirkungen
hinausgehenden Erfolg ins Auge fasst. Als solch sittlich in-
differenter, thatsächlich überall eintretender Enderfolg muss nun
die Rückwirkung gelten, welche von der Gesellschaft und der
Menschheit ausgeht auf den ihr sittlich Dienenden. Wer durch
seine Handlungen sich als Glied einer Moralgemeinde erweist,
der ist in jedem Notfall aller der ihm nützlichen Liebeshand-
lungen und werkthätigen Hilfe gewiss, die man sich selber nicht
schaffen, die man nur von der Gesellschaft empfangen kann.
Der Tausch der eigenen Leistung gegen die fremde ist kein
unmittelbarer, aber der Nutzen, den der einzelne für seine
Erhaltung durch das Vorhandensein moralischer Gesetze mittelst
der anderen empfängt, ist normaler Weise unendlich grösser
als der Schaden, den er durch seine der Gesamtheit nützliche
Leistung auf sich nimmt. Wir betonen: normaler Weise. Wenn
nämlich der Einwurf, dass nicht alles Sittliche nützlich sei, sich
darauf zu stützen pflegt, dass gerade die höchsten sittlichen
Handlungen in einer Aufopferung des Lebens bestehen, so dass
von einer Rückwirkung nicht mehr die Rede sei, so ist dem
entschieden entgegen zu halten, dass solche Fälle abnormale
Übertreibungen der sittlichen Maxime sind. Aufopferung des
Lebens zu sittlichem Zweck muss unserer subjektiven Wertschätzung, die sich lediglich an die Gesinnung, an die psychologischen Motive zu halten hat, natürlich als der Gipfelpunkt
der Moral erscheinen; bei objektiver Betrachtung kann aber
nur der die Lebensopferung als sittliches Prinzip anerkennen,

der den Zweck der Sittlichkeit in einem Abstraktum sieht;
wer dagegen in der Entwicklung der empirischen Menschheit
die Bedeutung der sittlichen Erscheinung sucht, kann unmöglich eine Maxime billigen, die bei strenger Durchführung die
Gesamtheit der lebenden Menschen beseitigen würde. Die
Funktion jedes einzigen Organs, ja fast jegliche Leistung des
sensorisch-motorischen Apparates kann durch übernormale An-
strengung den Organismus gefährden, ohne dass dadurch die
Annahme begründet wäre, jene Organe dienten nicht dem
Nutzen desselben. Die biologische Betrachtung kann nur die
normale Leistung berücksichtigen, nicht die bei der grossen
Zahl zuweilen auftretenden Schwankungen ins Unter- oder Übernormale; der Märtyrertod als übernormal ist dem einzelnen
ebenso verderblich wie die unternormale Moral insanity; die
normale ethische Leistung aber bewährt sich fortwährend für
den Moralischen selbst als bester Schutz im Leben. Und alle
die, welche den Tod auf sich nahmen, um der Menschheit zu
dienen, sie haben die Gegenleistung der Menschheit natürlich
nicht erlebt, das ehrende Andenken aber, das sie überdauert,
ist an die Stelle der Leistung getreten und beweist in seiner
Art das Prinzip, dass in der ethisch organisierten Gesellschaft
jede moralische Handlung ihre dem Moralischen nutzbringende
Schlusswirkung hat, ergänzt durch das noch leichter erkennbare
Korrelat, dass innerhalb der Moralgemeinde jede unwürdige
That zum Verderben des Thäters oder seiner Nachkommen
sich umkehrt. Kein Mensch kann sich direkt durch eigene
Arbeit alle die, seiner Selbsterhaltung geradezu notwendigen,
Vorteile verschaffen, die ihm durch die Treue, Gerechtigkeit,
Dankbarkeit, Opferbereitschaft seiner Mitmenschen erwachsen;
wer sie verlangen will, muss die dem Vorteil gegenüber geringe
Leistung vollführen, selbst treu und gerecht und hilfsbereit zu
sein. Genau dasselbe gilt natürlich für die den Verkehr engerer
Kreise regelnden Formen der Sitte; wer nicht gesellschaftlich
verletzt werden will, muss sich selbst den Normen der gesell-
schaftlichen Sitte fügen und empfängt damit sicherlich mehr

als er hingiebt. Wundt hat in seiner Ethik dieser Auffassung
entgegengehalten, dass, wenn die Entwicklungstheorie klar
machen wolle, wie im ganzen die selbstlosen sittlichen Charaktere
ausdauern mussten, dass sie es dann im einzelnen Fall anschaulich machen müsse, während uns doch die Erfahrung der
beobachtbaren Einzelfälle im Gegenteil lehre, dass der Ego-
istische über den Selbstlosen gerade so wie der Stärkere über
den Schwächeren siege. Jenes methodologische Postulat ist
nun zweifellos berechtigt; wenn wirklich die Einzelfälle dem
Prinzip widersprechen, so ist letzteres eine hypothetische Konstruktion schlechtester Art. Ebenso ist zweifellos auch jene
Beobachtung richtig, dass, wo der Selbstsüchtige mit dem
Selbstlosen zu thun hat, ersterer den Sieg davon tragen wird.
Nur, meine ich, widerspricht diese Beobachtung durchaus
nicht jenem Postulat. Wenn das erfahrungsgemässe Zusammenleben wirklich auf das in diesem Beispiel angenommene Schema
beschränkt bliebe, wenn wirklich stets nur je zwei Individuen
zu einander in Beziehung treten würden, dann allerdings würde
die, das Nützlichkeitsmoment betonende Entwicklungstheorie
vergeblich die Entstehung des Sittlichen anschaulich zu machen
suchen. Thatsächlich ist jenes Schema aber eine Abstraktion;
in Wirklichkeit ist es in erster Linie eine Mehrheit von Per-
sonalkomplexen, die in den Kampf ums Dasein treten, und
ohne weiteres ist es verständlich, dass Familien, deren Mit-
glieder einander selbstlos unterstützen, über Familien siegen,
deren Teile in Zank und Streit sich gegenseitig zu schädigen
suchen. Dass aber in dem einen Komplex von Individuen
eine selbstlosere, friedfertigere Art vorherrscht als im andern,
dafür bedarf es doch durchaus nicht der „Rudimente veralteter
Vertragstheorie", sondern lediglich derselben einfachen Annahme,
die auch in jenem Schema von den zwei isolierten Individuen
gemacht war; dass nämlich hier mehr Friedfertigkeit, dort
mehr Zanksucht vorherrscht. Wenn Wundt als Illustration
seines Einwandes darauf hinweist, dass unter Hähnen, die auf
demselben Hofe gehalten werden, schliesslich der herrsch- und

selbstsüchtigste allein übrig bleibt, so acceptiert doch auch er die Annahme, dass im Hühnergeschlecht Selbstsucht und Selbstlosigkeit verschieden verteilt ist. Nichts anderes, kein Vertrag und keine Überlegung, wird nun vorausgesetzt, wenn wir das Beispiel so variieren, dass wir annehmen, auf verschiedenen Hühnerhöfen herrsche eine verschiedene Durchschnittsart, die Bewohner des einen seien mehr selbstsüchtig, die des anderen mehr friedfertig. In dem ersteren wird, WUNDT's eigenem Beispiele zufolge, schliesslich nur das selbstsüchtigste und zanksüchtigste von den Geschöpfen übrig bleiben, unfähig sich zu vermehren, während im anderen eine gedeihliche Entwicklung und Fortpflanzung mit Vererbung der Durchschnittseigenschaft wahrscheinlich eintreten wird. Gerade die einfachsten, den realen Verhältnissen entsprechenden Einzelfälle bieten somit anschaulichen Beleg für die allgemeinen hypothetischen Prinzipien.

Ein scheinbarer Einwand liegt nach all diesen Betrachtungen nahe. Wenn unsere Resultate richtig sind, so wäre ja Staat und Familie und Volkswirtschaft und Moralgemeinde und Gesellschaft, in ihrem objektiven Verhalten völlig übereinstimmend, zusammengehalten von ein und demselben Prinzip der Arbeitsteilung. Dieser Einwand ist unwiderleglich, ja, er bezeichnet das nächste Ziel unserer Untersuchung. In der That hat es sich ergeben, dass alle jene Formen der Beziehung in ihren objektiven Erfolgen darauf hinauslaufen, dass jeglicher solche Leistungen, d. h. Muskelkontraktionen ausführt, die nicht seiner eigenen Erhaltung dienen, sondern für das Dasein der anderen, in engerem oder weiterem Kreise, zweckmässig sind, seinerseits dafür aber von jenen anderen Leistungen empfängt, die seiner Erhaltung nützlich oder gar nötig sind, ohne dass er selbst sie zu produzieren im stande wäre. Das, was jene Gebiete trennt, sind also nicht die objektiven Wirkungen, sondern nur die psychologischen Begleiterscheinungen, von denen zu abstrahieren, unsere Prämisse war. Wo jener Schlusserfolg der Handlung, der eigene Nutzen, als Motiv im Bewusstsein auftaucht, sprechen wir von wirtschaftlicher Leistung; nur da, wo nicht jener letzte Erfolg, sondern nur der nächste, selbstlose Zweck das Motiv ist, reihen wir die Handlung unter die ethischen. Wie wenig da scharfe Grenzen möglich, beweist der Umstand, dass durch äussere Bedingungen manches, was im einen Land Gesetz ist, im anderen durch Moral, im dritten durch wirtschaftlichen Tausch geregelt wird. Ja, es liesse sich sehr wohl ein Volk denken, in welchem die Arbeitsteilung jener verschiedenen Arten in derselben Vollständigkeit nur durch Wirtschaftsverkehr geregelt würde, ein zweites, in welchem dieses alles sich durch Gesetz, ein drittes, in dem es durch Sitte, ein viertes, in dem es durch Moral sich erhielte; objektiv ginge es bei jenen vier Völkern ganz gleichmässig zu, nur subjektiv wäre bei dem einen das materielle Interesse, bei dem zweiten die Furcht vor Strafe, beim dritten die Scheu vor Missachtung, beim vierten die Stimme des Gewissens besonders stark entwickelt.

Nur erinnert sei schliesslich noch daran, wie durch die gesamte Tierwelt, mit Ausschluss der niedersten, die zur Erzeugung der Nachkommen nötigen Bewegungen verbreitet sind, wie das Aufsuchen und Anrufen der Geschlechtstiere, die Bewegungen zum Festhalten, zur Befruchtung u. s. w.; wie in der höheren Tierwelt dann noch die Bewegungen dazu kommen, welche dem Schutz und der Pflege der Nachkommen dienen, und wie auch alles dieses beim Menschen in zum Teil historisch verfolgbarer Entwicklung zu unendlicher Kompliziertheit sich differenziert hat.

Wir haben damit nun die Gesamtheit der tierischen und menschlichen Bewegungen geprüft, es kann keine normale Muskelkontraktion geben, die sich nicht einer der untersuchten Bewegungsgruppen unterordnet. Wir sahen in der ersten Reihe, wie die Kontraktionskomplexe mittelst des angeborenen sensorisch-motorischen Apparates durch die das ganze Leben hindurch einwirkenden Reize der Aussenwelt notwendig hervorgebracht werden. Wir verfolgten das von den

Bewegungen des Protisten, der den fördernden Reizquellen sich näherte, schädlichen sich abwendete, bis hinauf zu den komplizierten Handlungen des Kulturmenschen, auf welchen die räumlich und zeitlich entferntesten Gegenstände der Welt in unzähligen direkten oder indirekten Reizen einzuwirken vermochten. Überall aber ergab sich, dass, dem bestimmten Bedingungskomplex gegenüber, die Leistung des sensorisch-motorischen Apparates die für die Erhaltung des Organismus denkbar zweckmässigste und nützlichste war. — Die zweite Hauptreihe von Bewegungsgruppen erkannten wir als bedingt durch das Zusammenleben mit gleichartigen Geschöpfen. Wir sahen, dass zunächst mannigfaltige Bewegungen überhaupt nur der Vermittlung dienten; überraschender aber war, dass die so vermittelten Beziehungen, wie sie speziell beim Menschen in Staat, Familie, Wirtschaft, Sittengemeinde verwirklicht sind, ebenfalls nur in jedem einzelnen diejenigen Bewegungen auslösen, die unter dem vorliegenden Bedingungskomplex die für seine Selbsterhaltung zweckmässigsten sind; die Menschheit ist also für den einzelnen objektiv nur eine unendlich komplizierte Reizsumme, welche in ihm mittelst seines Nervenapparates die für ihn zweckmässigsten Handlungen auslöst. Schliesslich sahen wir durch den äusseren Bedingungskomplex eine Gruppe von Bewegungen angeregt, die nur der Nachkommenschaft dienten. Wir können somit unsere ganze Untersuchung dahin zusammenfassen: die ganze Welt, einschliesslich der gesamten Menschheit, ist für den einzelnen Organismus eine unendlich mannigfaltige Reizquelle, welche in ihm durch seinen sensorisch-motorischen Mechanismus notwendig diejenigen Bewegungen verursacht, welche für die Erhaltung des Organismus oder seiner Nachkommen zweckmässig sind; in eben diesen Bewegungen besteht die Gesamtheit der tierischen und menschlichen Reflexe, Trieb- und Willkür-Handlungen. — Wenn nun wirklich sämtliche Leistungen, die der vom Sinnesorgan durch den Centralapparat zum Muskel führende animalische Mechanismus auf äussere Reize auslöst, so durchweg für den

Organismus nützlich sind, so ist offenbar dieser Apparat genau so zweckmässig wie der für die Saftströmung oder der für die Ernährung. Es liegt daher kein Bedenken vor, auch auf ihn alle diejenigen Erklärungsprinzipien anzuwenden, welche DARWIN und seine Nachfolger für die Erklärung der Entwicklung zweckmässiger Organe zum unbestrittenen Besitztum der Naturforschung gemacht haben. Die komparative Biologie hat für den vegetativen Apparat die Erklärung durch darwinistische Prinzipien lange schon durchgeführt, indem sie auf jeder Stufe der phylogenetischen Entwicklung die Zweckmässigkeit desselben für die Erhaltung des Organismus nachwies und dadurch die grosse Bedeutung klarlegte, die der Apparat bei der Naturselektion im Existenzkampf haben musste; vom unerklärten Wesen der Vererbung abgesehen, war damit unter Zuhilfenahme langer Zeiträume, wechselnder Einflüsse u. s. w. die Entstehung des vegetativen Mechanismus dem Kausalverständnis zurechtgelegt. Dem animalen Apparat gegenüber hat die Biologie auf eine solche Erklärung bisher verzichtet; sie hat den vergleichend anatomischen Bestand durchforscht, das aber, was zur Erklärung notwendig war, der Nachweis, dass der Apparat normaler Weise nichts Überflüssiges oder Schädliches, sondern ebenfalls wie der vegetative nur Zweckmässiges leistet, dieser vergleichend-physiologische Nachweis war unterlassen, und konnte selbstverständlich nicht erbracht werden, solange man erstens immer nur den sensorischen oder den motorischen Apparat, jeden für sich allein betrachtete, statt beide als einheitlichen Reflexapparat, und solange man zweitens die ethischen Handlungen vom ethischen, die logischen Leistungen vom logischen Standpunkt untersuchte, statt beide einmal vorübergehend dem naturwissenschaftlichen unterzuordnen. Auch uns war es im engen Rahmen dieser Studie unmöglich, diesen Weg wirklich selbst zu durchwandern, wir mussten uns begnügen, gewissermassen nur die einzelnen Stationen des Weges anzugeben, um nähere Ausführungen dereinst an anderem Ort zu versuchen. Das aber wird hoffentlich auch aus der kurzen Skizze sich ergeben haben, dass unser Prinzip berechtigt ist, dass jener sensorisch-motorische Apparat wirklich nur Zweckmässiges leistet, er selbst daher sich in demselben Masse als der vegetative Apparat durch natürliche Zuchtwahl mit ihren sekundären Prinzipien erklären lässt.

Nur vor einem Missverständnis muss noch gewarnt werden, das bei SPENCER und anderen nicht vermieden ist. Es wäre nämlich ganz unberechtigt anzunehmen, dass moralische Ideen oder derlei vererbt und gezüchtet werden können. Ein Bewusstseinsinhalt vererbt sich überhaupt nicht, sondern es vererbt sich ein materieller Apparat, der bei gewissen Reizen gewisse Bewegungen auslöst. Aber auch dieser Apparat ist nun nicht so beschaffen, dass er etwa beim Menschen gleich moralische Handlungen produziert. Bei wild aufwachsenden Individuen, wie man sie in einzelnen Fällen entdeckt, da lösen trotz des vorhandenen Mechanismus die Eindrücke der Natur nur jene einfachsten, dem Leibesbedürfnis entsprechenden, tierischen Bewegungen aus. Bei allen unter Gleichgearteten aufwachsenden Menschen komplizieren sich aber durch Verbindung von Schallreizen mit Gegenstandsreizen, d. h. durch die Sprache die einwirkenden Eindrücke derart, dass der Mensch in wenigen Jahren durch Erziehung, Unterricht, Erfahrung alle die Reize erregend auf sich wirken lassen kann, die auf die ganze organische Entwicklungsreihe eingewirkt haben, so dass er ontogenetisch den phylogenetischen Weg zurücklegt; eben darin liegt es, dass zwischen der Handlungsfähigkeit des fertigen Menschen gegenüber den Bewegungen des Säuglings ein so ungeheurer Unterschied hervortritt, während bei den Tieren dieser Unterschied klein ist. Beim Tier wirken auf das Junge schon fast all die Reize ein, die im Lauf des Lebens dasselbe umgeben, eine wesentliche Bereicherung an Bewegungen kann daher auch nicht eintreten. Und selbstverständlich sind nun die grössten Unterschiede der Bewegungskomplexe auch wieder beim sprechenden Menschen; der uncivilisierte Wilde, der Bauer vom Land, der gebildete

Grossstädter haben an Mannigfaltigkeit so erheblich verschiedene Reizwirkungen erlebt, dass die resultierenden Leistungen nicht minder verschieden sein müssen.

Wir haben bisher nur von den Kontraktionen gestreifter Muskeln gesprochen; es ist kein Zweifel, dass für die glatten dasselbe gilt, dass auch die Bewegungen des Herzens, des Darmes, der Ureteren, der Tuben, der Schleimhautflimmerhaare dem Organismus zweckmässig sind, und dass auch sie durch Reize, freilich im Innern des Körpers entstehende, Reize auf nervösem Wege ausgelöst werden, gleichviel ob man an die unwahrscheinlichen Lokalganglien glaubt oder nicht.

Wir können daher unseren ganzen Abschnitt dahin zusammenfassen: Alle Muskelkontraktionen erfolgen auf Grund von Reizung des sensorisch-motorischen Apparates durch, ausserhalb desselben befindliche, Reizquellen, welche den Bedingungskomplex der Bewegung bilden und bei gegebenem Apparat notwendig die bestimmte Bewegung verursachen. Der Apparat selbst musste in seiner phylogenetischen Differenzierung, da seine normalen Leistungen ausnahmslos der Erhaltung seines Trägers oder dessen Nachkommen dienen, gerade so, wie er ist, durch Selektion entstehen. Da also einerseits die Entstehung des Apparates, andererseits unter Voraussetzung des Apparates bei bestimmtem Bedingungskomplex die bestimmte Bewegung kausal verständlich ist, so ist der äussere materielle Vorgang jeglicher Bewegung, sei es Reflex oder Trieb- oder Willenshandlung nach den Prinzipien der physikalisch-chemischen Naturwissenschaft als notwendiges Geschehen durchaus erklärbar ohne Zuhilfenahme eines immateriellen Faktors.

II.

Die Willenshandlung als Bewusstseinserscheinung.

Die psychologische Seite der Willenshandlung ist der wissenschaftlichen Beobachtung offenbar viel bequemer zugänglich als die physiologische Seite, die uns bisher beschäftigte. Handelte es sich dort um die ganze Reihe physikalisch-chemischer Vorgänge, von denen uns nur das Anfang- und Endglied, Reiz- und Muskelkontraktion, gegeben war, die mannigfaltigen Zwischenglieder also erst durch Experimente und Vergleichung mühsam von der Naturforschung festgestellt werden mussten, so gilt es hier nur die der Willenshandlung eigentümlichen Bewusstseinserscheinungen festzustellen, die als solche ja der Wahrnehmung unmittelbar zugänglich sind. Eine Isolierung derselben aus dem Getriebe der psychischen Vorgänge muss also die innere Seite der Willenshandlung unbezweifelbar richtig und zugleich vollständig klarlegen; vollständig, weil ein Bewusstseinsphänomen, so sehr es auch vielleicht auf Nichtbewusstes hinweist, thatsächlich doch nur aus Bewusstem bestehen und somit bei der Analyse keinen unbekannten Rest ergeben kann; richtig, weil das Objekt unmittelbar gegeben, also keine höhere Instanz der Untersuchung denkbar ist. — Dennoch gehen, wie bekannt, nicht nur die Erklärungen, sondern auch die Darstellungen der Willensphänomenologie weit auseinander; die Vorzüge der psychologischen Methode erweisen sich eben zugleich als ihre Fehler, vor allem der Vorteil, den die Analyse der Bewusstseins-

erscheinungen aus der Unmittelbarkeit der inneren Erfahrung
zieht, wird aufgewogen durch den daraus resultierenden Nachteil, dass stets das beobachtende Subjekt zugleich das beobachtete Objekt ist. Der Bewusstseinsinhalt eines bestimmten
Momentes bleibt nicht mehr derselbe, wenn die von wissenschaftlichen Interessen geleitete Aufmerksamkeit sich ihm zuwendet. Jenes Interesse, jener Wille zur Beobachtung wird
selbst zum Teil jenes psychischen Zustandes und kann sich
niemals als etwas Fremdes über das Bewusstsein erheben;
wir können unser inneres Geschehen nicht mit Nebenge-
danken begleiten, ohne dass dieses selbst dadurch infolge
der Einheit unseres Ich verändert wird. Gilt dieses schon
für das unwillkürliche Geschehen, so muss es in noch höherem
Masse bei der Analyse der Willensvorgänge geltend gemacht
werden; seine Aufmerksamkeit, seinen Willen auf seinen
Willen zu lenken, hiesse, ein doppeltes Selbstbewusstsein besitzen, ist also ein völliger innerer Widerspruch.

In Wirklichkeit beschränkt sich daher unsere psychologische Analyse anerkanntermassen auf die Gedächtnisbilder
der inneren Vorgänge; der gesamte Bewusstseinsinhalt eines
Zeitpunktes kann im nächsten Moment isoliert reproduziert
werden, losgelöst von seinen über sich hinausweisenden Beziehungen, gleichsam wie ein einzelnes Wahrnehmungsobjekt,
dem nun der Wille sich zuwenden und es der Analyse unter-
werfen kann. Nicht Selbstbeobachtung also ist die Methode
der Willensuntersuchung, sondern im ersten Stadium unwillkürliche Selbstwahrnehmung, im zweiten Stadium Gedächtniserneuerung des Wahrgenommenen, und im dritten Zerlegung
jener absichtlichen Reproduktion. Damit ist offenbar eine der
wichtigsten Ursachen für die Verschiedenheiten in der Willens-
darstellung klargelegt. Der Wille selbst muss ja — das ist
die Voraussetzung für das Interesse an seiner wissenschaftlichen
Untersuchung — in jedem Bewusstsein gleichartig sein, die
unmittelbare Wahrnehmung kann also keine Verschiedenheiten
enthalten; wir werden vielmehr ohne Zweifel die Schuld an

den Abweichungen in erster Linie den verschiedenen Ge-
dächtnisreproduktionen zuschreiben. Es bedarf ja kaum des
Hinweises, wie in allen Sphären das Gedächtnis von dem thatsächlich Wahrgenommenen stets nur das zu erneuern pflegt,
was sich unter gewisse einheitliche Gesichtspunkte unterordnete;
je nach den Kenntnissen und dem Verständnis für den Gegenstand pflegt das Erinnerungsbild eines Dinges bei verschiedenen
Menschen wesentlich verschieden sich zu gestalten; die einheitlich apperzipierten Elemente pflegen durch ihre wechselseitige Beziehung sich leicht im Gedächtnis zu erneuern, aber
nicht die Erinnerung, sondern die Phantasie füllt ergänzend
unwillkürlich die Lücken zwischen den durch die Aufmerksamkeit bei der Wahrnehmung hervorgehobenen Merkmalen.
Übertragen wir diese fortwährend zu bestätigende Erfahrung
auf jene für die Analyse notwendige Reproduktion der Willenserscheinung, so verstehen wir wohl, wie gar zu leicht sich in
das später analysierte Gedächtnisbild Züge einmischen konnten,
die im Wahrnehmungsbild nicht enthalten waren, oder wichtige
Teile des Bildes fehlten, je nach der Theorie, die jeder als
fertiges Hilfsmittel für die Untersuchung herbeizog. Die
Wahrnehmung steht eben schon überall unter dem Einfluss
herrschender Apperzeptionsmassen; das Gedächtnisbild der
inneren Willenshandlung enthielt daher stets diejenigen Elemente
der Wahrnehmung, die von bestimmtem Standpunkt aus zu
erwarten waren, während die Verbindung derselben zu ganz
neuen unabsichtlichen Ergänzungen verleitete.

Wenn dieser gefährliche Weg sich nunmehr auch uns als
der einzig mögliche zur psychologischen Willenszergliederung
erweist, so steht uns wenigstens mit einer gewissen Bürgschaft
für die Objektivität des Resultates der Umstand zur Seite,
dass unsere Untersuchung sich keiner weitergehenden Theorie
einordnen soll, überhaupt zu weiterblickenden philosophischen
Problemen in keiner Beziehung steht, sondern in ihrer einfachen Analyse den bescheideneren Selbstzweck sucht. Dennoch dürfen wir den Versuch nicht wagen, ehe wir uns nicht

einige notwendige Begrenzungen des Problems vergegen-
wärtigt.

Diese Grenzen sind zunächst dadurch vorgezeichnet, dass
unsere Analyse psychologisch sein will; ethische und logische,
erkenntnistheoretische und metaphysische Fragen dürfen uns
daher nicht beeinflussen. Die Ethik hat nicht nur in der
Klassifikation eine, der Psychologie fremde Scheidung zwischen
ethisch wertvollen und ethisch indifferenten Handlungen durchzuführen, sondern sie hat vor allem als Grundbedingung das Postulat festzuhalten, dass dem Willen eine einzigartige, das Geistes-
leben beherrschende Sonderstellung zukommt, ein Postulat, das in
die theoretische Betrachtung doch vielleicht Verwirrung hinein-
trägt. Dieselbe Ausnahmestellung weist von vornherein dem
Willen die Logik zu; zwischen der äusseren und inneren Vor-
stellungsvereinigung, zwischen der associativen und der apper-
zeptiven Verbindung, zwischen der Ideenflucht und dem
willkürlich geleiteten Gedankenverlauf muss die Logik so feste
Grenzen sehen, dass der psychologischen Untersuchung Gewalt
angethan würde, wenn logische Probleme mit ihr hier vereinigt
würden; was logisch zu trennen, ist vielleicht psychologisch
durch Übergänge vermittelt, so dass dann auch vielleicht
jenem logischen Einteilungsprinzip psychologisch durchaus nicht
jene fundamentale Bedeutung zukäme.

Weit wichtiger aber ist die Ausschliessung der erkenntnis-
theoretisch-metaphysischen Fragen, die mit der Willensuntersuchung meist eng verbunden. Die blosse Beschreibung der
Bewusstseinserscheinungen kann ja niemals zu der Erklärung
der Einheit unseres Bewusstseins vordringen. Wir erleben die
inneren Erfahrungen als eine Mannigfaltigkeit empirischen Geschehens; worin es aber besteht, dass wir uns dieses Geschehens
bewusst werden, dass wir es einheitlich apperzipieren, verbinden
und trennen, damit hat sich die deskriptive Seelenlehre nicht
zu beschäftigen. Sie analysiert den empirischen Bewusstseinsinhalt, sowie die Naturlehre die äusseren Erscheinungen zerlegt,
und, wenn sie auf eine höhere Stufe tritt, kann sie, ebenfalls

wie die Naturforschung, die regelmässigen Beziehungen der
Erscheinungen unter einander aufsuchen; die Frage aber, was
jenen inneren und äusseren Erscheinungen absolut wirklich zu
Grunde liegt, gehört der Metaphysik an, und jenes, in seinen
Folgerungen weit wichtigere Problem, wie das Bewusstsein zu
diesen Erscheinungen, zu diesen Erlebnissen gelangt, wie es
dieselben in überdauernder Einheitlichkeit verbindet und trennt,
gehört zur Erkenntnisstheorie. Dieses letztere muss gerade
hier, wo wir den Willen annalysieren wollen, besonders betont
werden. Muss doch gerade die kritische Richtung der Philosophie die erkenntnistheoretischen Probleme auf die Einheit der
Apperzeption zurückführen und kann diese selbst doch nur
gewissermassen als Funktion eines inneren Willens verständlich
machen. Nicht jene groben äusserlichen Vorstellungen sind
damit gemeint, die alles Seelenleben ins Räumliche übertragen
und nun den inneren Willen die Vorstellungen anziehen und
abstossen, vereinigen und trennen lassen, als wären die Vorstellungen körperliche Dinge und der Wille mit Armen aus-
gerüstet. Aber den Willen aufzufassen als letzten Urgrund,
als dauernden Inhalt des überempirischen Bewusstseins, als
Prinzip der Bewusstseinseinheit gegenüber der Mannigfaltigkeit
des Bewusstseinsinhaltes, das ist eine um so näher liegende
Vorstellung, als auch in der Aussenwelt die einzige uns wirklich
zugängliche Ursache der Vorgänge die Willenshandlung ist.
Wir müssen uns nur bewusst bleiben, dass diese erkenntniss-
theoretische Erörterung über die psychologische Untersuchung
hinausgeht; wir haben uns hier nicht mit dem Willen zu beschäftigen, der die Bewusstseinserscheinungen hervorruft und
bedingt, sondern mit dem Willen, der uns als Bewusstseinserscheinung gegeben; unsere Frage lautet nur: worin
besteht der, jedem empirisch gegebene, Inhalt
unserer inneren Erfahrung, den wir als Wille
bezeichnen? —

In der Beschränkung auf die psychologische Untersuchung
liegt aber noch eine weitere Begrenzung der Aufgabe; wir

haben uns nämlich durchaus nicht zu bemühen, für die gegebenen Erscheinungen einen Kausalzusammenhang zu konstruieren. Es ist ja bekannt, dass die vollkómmene Erkenntnis materieller Vorgänge sich in so unzähligen Fällen einer Kausalbetrachtung unterordnen liess, dass wir die Gesetze der mechanischen Kausalität als Basis mechanischer Untersuchung nehmen können. Die Bewusstseinserscheinungen genügen dagegen dem Kausalitätsbedürfnisse keineswegs; wie wir auch den psychologischen Kausalitätsbegriff modeln, stets bleiben wir ausser Stande, den Bewusstseinsinhalt eines Zeitmomentes vollständig aus dem Bewusstseinsinhalt des vorhergehenden abzuleiten. Wir können freilich und müssen gesetzmässige Beziehungen der inneren Erfahrungen aufsuchen; um aber psychologische Kausalreihen zu bilden, müssen wir den Kreis der Bewusstseinserscheinungen überschreiten und „unbewusste" innere Geschehnisse hypothetisch zu Hilfe nehmen. Die Frage, wodurch der Wille verursacht wird und was er bewirkt, ist auf dem Wege der empirischen Psychologie also gar nicht zu beantworten, sondern nur auf dem Wege der Spekulation, die mit hypothetischen, der Erfahrung nicht gegebenen Elementen operiert. Für unsere auf die Thatsachen beschränkte Untersuchung ist der Wille eine Erscheinung wie andere Erscheinungen, und deshalb haben wir nur zu fragen, worin er besteht, was ihm gesetzmässig im Bewusstsein vorangeht und was ihm folgt. Wir können uns dabei nicht verhehlen, dass das Bemühen, die gegebenen inneren Phänomene zu ausreichenden Begründungen zu erheben, nicht nur oft unbegründete Kausalbeziehungen hat herstellen lassen, sondern vor allem dazu verleitete, die Untersuchung des Willens selbst ganz zu vernachlässigen und nur die Ursachen seiner Wirksamkeit und seine Wirkungen, nicht seinen Inhalt, zu prüfen.

Aber diese Einschränkungen der Aufgabe haben nicht nur ihre negative Bedeutung; die Begrenzung der Willensanalyse auf die wirklich im Bewusstsein vorhandenen inneren Erfahrungen hat für die Erkenntnis derselben auch ihren positiven

Wert. Die moderne Psychologie bezeichnet ja bekanntlich die letzten auf einander nicht zurückführbaren Bestandteile, in welche sich der Bewusstseinsinhalt zerlegen lässt, als Empfindungen; der Empfindung kommt eine Qualität, eine Intensität und ein ihre Beziehungen zum Bewusstsein enthaltender Gefühlston zu. Ist aber die Empfindung das Element aller psychischen Phänomene und ist andererseits der Wille, soweit er uns beschäftigt, nur Bewusstseinserscheinung, so ist doch der notwendige Schluss, dass auch der Wille nur ein Komplex von Empfindungen ist. Seine Sonderstellung ist dadurch theoretisch von vornherein beseitigt; die Empfindungsverbindung, die wir Wille nennen, mag sich durch Kompliziertheit und Konstanz vor anderen auszeichnen, aber die Bestandteile, welche die Analyse ergiebt, bleiben doch als Empfindungen den Elementen der Vorstellungen koordiniert. Unsere Frage lautet dann also: welche Qualität, Intensität und Gefühlsfärbung kommt den unseren Willen zusammensetzenden Empfindungen zu und in welcher Anordnung sind sie mit einander verbunden?

Selbstverständlich wird zur Beantwortung dieser Frage die psychologische Prüfung einer einzelnen Willenshandlung nicht ausreichen. Erst durch Vergleichung des Willens bei verschiedenartiger Bethätigung wird es uns möglich sein, das Wesentliche vom Zufälligen zu trennen, und so den reinen Willensakt zu isolieren. Aber diese Voruntersuchung ist sicher der leichteste Teil, ihr Ergebnis ist schon dem naiven Bewusstsein einleuchtend: das Wesentliche des Willens ist das Gefühl innerer Thätigkeit. Auf den ersten Blick scheint es freilich, als wenn auch der Wettstreit der Motive der Willenshandlung notwendig ist, aber die Selbstbesinnung lehrt doch bald, dass wir nicht minder eine Handlung als Willenshandlung empfinden, wenn sie auch nur eindeutig bestimmt war. Nicht mit Unrecht konstatieren wir den Einfluss des Willens auch schon in der Abwägung und schliesslichen Wahl der Motive, aber die Entscheidung für ein Motiv bedarf, um zur Willenshandlung zu werden, doch noch eines neuen Faktors, eben jener freien inneren Thätigkeit, die genau so eingreift, wenn das Motiv sich ohne vorherige Wahl ergab. Wenn nun gerade das Gefühl freier innerer Thätigkeit das Wesen des empirischen Willens ausmacht, so erinnert schon die der mehrdeutigen Willenshandlung vorausgehende Motivwahl daran, dass jene Spontanität nicht auf die Handlungen beschränkt ist. Mit dem Gefühl freier innerer Thätigkeit greifen wir in unser Vorstellungsleben ein, leiten wir den Gang unserer Gedanken, wählen und verbinden wir unsere Empfindungen und lenken wir unsere Aufmerksamkeit. Uns interessiert ja direkt allerdings nur die psychologische Seite der gewollten Körperbewegung; wenn aber das Wesentliche der Willenshandlung uns nicht minder dort vorliegt, wo der Wille unter den einfachsten Bedingungen zu untersuchen, wo er sich auf die Lenkung der Aufmerksamkeit und des Denkprozesses beschränkt, so werden wir sicher mit Nutzen erst diese weniger komplizierten Verhältnisse betrachten, ehe wir die innere Thätigkeit in der Willenshandlung verfolgen.

Worin besteht also die innere Thätigkeit bei der Lenkung unserer Vorstellungsbewegung?; genauer: wie müssen die im Bewusstsein anwesenden Empfindungen beschaffen sein, wenn sie uns das Gefühl innerer Freiheit, thätigen Willens erzeugen sollen? Wir dürfen da, ohne Zusammengehöriges künstlich zu zerreissen, jedenfalls die Vorgänge in unserem Vorstellungsleben, in das die Willensthätigkeit eingreift, vorläufig trennen von den sie begleitenden Organempfindungen oder Innervationsgefühlen, gleichviel wie man jene Spannungsempfindungen nennen mag. Uns beschäftigen zunächst die ersteren, die eigentlichen Willensbethätigungen im Denken.

Wenn in meinem Inneren plötzlich eine beliebige klare Vorstellung erscheint, — ich will sie a nennen, — wenn a in mir auftaucht, isoliert von allen Beziehungen, scheinbar ohne Ursache, so ist es zweifellos, dass mein empirischer Wille dabei nicht beteiligt war. Auch wenn ich mich mit b beschäftige,

das mir in der Erfahrung stets mit a räumlich verbunden be-
gegnet ist, und dieses b ruft nun die Vorstellung a in mir
hervor, so kann ich wiederum von einem Willensakt nichts in
meinem Bewusstsein entdecken; das Erscheinen von a ist mir
zwar nicht mehr grundlos, ich führe es auf eine Gewohnheits-
association zurück, gewollt habe ich a aber nicht. Und wenn
ich schliesslich den Gegenstand a vor mir sehe, so werde ich
a wahrnehmen, die Vorstellung wird also wieder in mein Bewusstsein treten und doch wird wieder von einer freien inneren
Thätigkeit nicht die Rede sein. Wenn ich dagegen mich
auf a nicht besinnen kann, es in meinem Gedächtnis suche,
mich der Stelle erinnere, an der ich es sah, mich des Zu-
sammenhangs erinnere, in dem ich es gehört, und schliesslich
taucht a wirklich in meinem Bewusstsein auf, so war es offenbar
mein Wille, der das Gesuchte ans Licht gezogen. Noch deutlicher werde ich mir meines Willens, meiner inneren Thätigkeit
bewusst, wenn ich zu a nicht durch blosse Besinnung, sondern
durch einen Denkakt hingelange; ich suche a zu erlangen, indem ich von b, c, d und e ausgehe und durch eine Reihe
von Urteilen und Schlüssen mich fortbewege. Aber auch in
weniger komplizierten Fällen fühle ich den Willen deutlich.
Wenn ich a neben b, c und d im Bewusstsein finde und gerade a
allein aus irgend welchen Gründen mein Gefühl erregt, b, c
und d dann allmählich verschwinden und ich das mit lebhafter
Lust wahrgenommene a im Bewusstsein festhalte, so war doch
der Wille es, der vom Gefühl beeinflusst, die Wahl_ traf.
Aber schliesslich, auch wo keine Auswahl erst vorzunehmen,
wo a mir in der Wahrnehmung allein gegeben ist und ich
seiner Intensität oder seines ästhetischen Reizes oder seiner
Neuheit wegen den Eindruck aufmerksam festhalte, auch dann
ist es mein Wille, der zwar eindeutig bestimmt, aber doch
seiner Freiheit bewusst die Fortdauer des Eindrucks bewirkt;
wenn ich wollte, könnte ich ja in demselben Zeitpunkt an
etwas anderes denken. In der einen Reihe der Fälle ist also
die Vorstellung a ohne meinen Willen in meinem Bewusstsein

aufgetaucht, in der anderen Reihe durchweg mit Hilfe meines Willens; es fragt sich, wodurch die so verschiedenartigen Fälle der zweiten Serie sich übereinstimmend von sämtlichen Beispielen der ersten Serie unterscheiden.

Zunächst müssen wir einen scheinbar wesentlichen Unterschied ausschliessen: das vorangehende Gefühl. Wenn wir uns besinnen, so fühlen wir Unlust, wenn ein Gegenstand unsere Aufmerksamkeit durch seine Neuheit oder Schönheit anzieht, so fühlen wir Lust; wir werden diese Affekte auch in Zusammenhang bringen mit dem Willen, wir können sie als Veranlassung des Willens bezeichnen, aber der empirische Wille selbst oder ein Teil desselben sind sie nicht. Sie gehen dem Willen voran, aber sie sind kein Bestandteil des Willens. Gerade hier müssen wir uns vor einer nahe liegenden Verwechslung hüten zwischen dem, was wirklich im Bewusstsein gegeben und dem, was uns die Reflexion über die dem Bewusstsein zu Grunde liegenden metaphysischen Vorgänge lehrt. Die Gefühle, welche eine Vorstellung begleiten, geben deren Verhältnis zu dem gesamten psychischen Systeme wieder, also die subjektive Seite des Objekts. Wie aber können wir uns anschaulich diese Beziehung des Ichs zu dem Gegenstand anders vorstellen als unter dem Bilde einer Thätigkeit, einer Willenshandlung? Und dazu kommt ein anderes. Lust und Unlust gehen dem Willensakt so oft unmittelbar voran, dass für die Erinnerung eine feste Association entstanden ist; wir denken zu beiden unwillkürlich den Willen zu. Diese beiden Gründe konnten den Irrtum leicht erzeugen; genauere Betrachtung aber stellt ausser Zweifel, dass das Gefühl selbst noch nicht als Bestandteil zum Willen gehört. Ja, wenn in der gewöhnlichen Annahme, das Gefühl lenke den Willen, auch ein Kausalzusammenhang ausgesprochen ist, den wir vielleicht als unbegründet ablehnen, so werden wir doch auch aus dieser Formulierung zustimmend entnehmen können, dass Gefühl und Wille zwei ganz für sich bestehende Faktoren sind. Der Zutritt von Gefühlserregungen bei der einen Reihe angeführter Fälle kann also nicht das Moment sein, das uns die Empfindung der inneren Thätigkeit, des Willens, schuf. Überdies kann erstens, was als selbstverständlich kaum des Hinweises bedarf, das Gefühl auch bei den unwillkürlichen Vorstellungsbewegungen beteiligt sein, ja, ablaufende Associationen können mit lebhafter Lust oder Unlust empfunden werden, ohne dass sie als willkürlich hervorgerufen erscheinen. Zweitens aber, und das ist allerdings häufig bestritten, kann der Wille seinen Einfluss im Bewusstseinsinhalt ausüben, ohne dass wir besondere Gefühle in uns wahrnehmen. Es ist ja freilich schwer die Behauptung zu widerlegen, dass ganz schwache Gefühle stets unser Inneres bewegten; einerseits ist das aber theoretisch nicht begründet, da das Gefühl auf der Skala zwischen Lust und Unlust sehr wohl im Indifferenzpunkt liegen kann, andererseits ist empirisch ein Gefühl nicht vorhanden, wenn wir es nicht wahrnehmen. Die Annahme unbewusster Gefühle ist natürlich nur hypothetische Ergänzung zur Ermöglichung kausaler Verknüpfung; bei der Analyse der wirklichen Bewusstseinsvorgänge daher ohne Wert. Zweifellos aber sind es solche unbewusste Gefühle, wenn etwa jede wissenschaftliche Überlegung von dem Gefühl wissenschaftlichen Interesses geleitet werden soll. Wenn wir nichts hypothetisch ergänzen, so müssen wir gestehen, dass, besonders die eindeutig bestimmten inneren Willensakte bei völliger Affektlosigkeit eingreifen. Wenn ich etwa eine Berechnung ausführe, so ist ja jede neue Summation eine neue Willensthätigkeit, ich würde aber zu den erlebten Vorgängen etwas nachträglich zufügen, wenn ich sagen wollte, dass jeder neuen Addition ein neues Gefühl voranging; lediglich der qualitative Inhalt, nicht die Gefühlsfärbung der vorliegenden Vorstellungen führte meinen Willen weiter. Aber nicht das hat uns hier zu beschäftigen, ob das Gefühl das einzige Bewusstseinsphänomen ist, welches die Willensthätigkeit hervorruft oder vielmehr welches dem Willen vorangeht; es genügt uns, dass das Gefühl nicht selbst schon Teil des Willens ist. Was dem Willen, gleichviel ob wir zu kausaler Betrachtung geneigt sind oder nicht, zeitlich vorangeht, das kümmert uns ja gar nicht; unsere Frage war, worin der Wille selbst besteht. So erneuert sich denn, nachdem wir das vorangehende Gefühl ausgeschlossen, die Frage, worin sich jene beiden Reihen angeführter Beispiele grundsätzlich unterscheiden.

Ich antworte: in sämtlichen Fällen der willkürlichen Vorstellungsbewegung ging dem klaren Bewusstwerden der Vorstellung a ein anderer Bewusstseinszustand voraus, der dem Inhalt nach auch schon die Vorstellung a enthielt; bei jenen Fällen unwillkürlicher Veränderung ging dem a nichts voraus, was schon a enthalten hätte. Nach meiner Ansicht beruht hierauf der ganze Unterschied; doch das muss noch näher erläutert werden.

Dass, wenn mir plötzlich a einfällt, nichts unmittelbar in meinem Bewusstsein voranging, was schon a enthielt, ist selbstverständlich; aber auch wenn ich a durch unbeabsichtigte Association mittelst b erlange, so hat b wohl einige Merkmale mit a gemein, ist aber inhaltlich etwas ganz anderes, und wenn ich a in der äusseren Erfahrung gegeben wahrnehme, so ist es ebenfalls etwas in dem Momente Neues. Wenn ich mich nun dagegen auf a besinne, es in meinem Gedächtnisse suche, so habe ich auch natürlich a selbst noch nicht im Bewusstsein, aber das, was ich in mir wahrnehme, ist doch zweifellos mit a' inhaltlich übereinstimmend. So lange ich a nicht gefunden, spüre ich freilich nur ein x, dieses x aber in einer Reihe von Beziehungen, durch welche x nur a sein kann und nichts anderes. Ich besinne mich auf ein Wort. Ich sehe in der Erinnerung dabei die Stelle, wo ich das Wort gelesen, ich erinnere mich des Augenblicks, als ich es hörte, ich weiss auch genau die Bedeutung des Wortes, aber das Wort selbst ist mir nicht gegenwärtig; schliesslich taucht es in mir auf: lässt sich da bestreiten, dass jenes Wort in der Reihe von Vorstellungsbeziehungen, deren ich mich erinnerte, schon vollinhaltlich gegeben war? Freilich war es in meinem Bewusst-

5*

sein durch ganz andere Eigenschaften vertreten, es war in seinen
Relationen zu anderen Dingen gegeben, während es nachher
durch seine eigenen Merkmale gekennzeichnet ist, aber der
inneren Bedeutung nach waren beide Bewusstseinszustände übereinstimmend. — Wir wenden uns zum zweiten Beispiel: der
Auswahl zwischen verschiedenen Vorstellungen. Ich hatte a,
b, c, d und e im Bewusstsein und behalte absichtlich nur a.
Hier bedarf es gar nicht des Nachweises, dass dieses a schon
vorher im Bewusstsein war. Die Gründe, weshalb gerade a
und nicht b zurückblieb, sind ja nur die Veranlassungen dieses
Willensaktes, sie bleiben hier also ausser Rücksicht, das Zurück-
bleiben selbst ist die Willensleistung. Wir können dabei nicht
einmal behaupten, dass mit a dadurch eine Veränderung vor-
gehen muss; meist freilich wird es ja, sobald die b und c und
d verschwinden, wesentlich klarer und stärker, die einzelnen
Merkmale und deren wechselseitige Beziehungen treten deutlicher hervor, aber notwendig ist das nicht. — Fraglicher dürfte
es auf den ersten Blick scheinen, ob auch, wenn ich durch
Überlegung, durch Nachdenken zur Erfassung von a gelange,
ob auch dann in dem vorausgehenden Bewusstseinsinhalt a schon
enthalten war. Ich meine aber, dass gerade dadurch sich alles
Denken vom zufälligen Spiel der Associationen oder von un-
vermittelten Einfällen unterscheidet. Die Endvorstellung deter-
miniert von vornherein den Denkprozess. Sie ist natürlich
nicht schon mit den Merkmalen gegeben, welche wir als Resultat der Überlegung erhalten, sonst wäre ja die ganze Vorstellungsbewegung überflüssig; sie ist aber mittelst anderer
Merkmale, besonders durch die Beziehung zu anderen Vorstellungen schon völlig in den Prämissen enthalten, aus denen
wir die Schlüsse ziehen. Gerade die Übereinstimmung zwischen
dem Endergebnis und dem Inhalt der Prämissen bestätigt uns,
dass wir einem apperzeptiv geregelten Gedankengang folgten.
In den Associationen fügen wir aus dem Gedächtnis immer
neuen Inhalt dem im Bewusstsein Gegebenen hinzu, durch
die apperzeptive Ordnung der Associationen, durch das Schliessen

aus gegebenen Urteilen können wir inhaltlich Neues nicht er-
finden; die Summe der Prämissen enthält schon den Schluss;
durch die Verbindung und Trennung der Vorstellungen gewinnt er nur andere Ausdrucksform als er ursprünglich hatte;
er wird dadurch isoliert, er wird geklärt und verdeutlicht, aber
nicht seinem Inhalte nach neu geschaffen. Jede wissenschaftliche Arbeit ist eine planmässige; mag das Hauptziel auch
noch so viele kleine Hilfziele voraussetzen, zu einer gewollten
Thätigkeit wird es gerade dadurch, dass Ziel und Plan schon
beim Beginn dem Bewusstsein gegeben sind und nicht durch
zufälliges Kommen und Gehen der Vorstellungen, vorher un-
gewusst, sich ergeben. Das ist ja freilich wahr, dass die
Worte Überlegung, Nachdenken dann nur eine Reihenfolge
erlebter Zustände ausdrücken, bei deren Hervorbringung wir
nicht anders beteiligt sind als beim Ablauf von Associationen.
Dennoch ist einerseits ihr Wert dadurch nicht vermindert,
und das intellektuelle Verantwortlichkeitsgefühl hat dadurch
nicht an Berechtigung verloren, da die vollständige Kausalreihe eines Resultates ja doch niemals im Bewusstsein gegeben
ist und gerade die wertvollsten Erkenntnisse oft empirisch unvermittelt, gleichsam intuitiv in uns auftauchen, ohne dass wir
sie deshalb weniger unserer Psyche zuschreiben. Andererseits
erklärt sich der Schein, als hätte unser empirisches Ich die
bestimmte Vorstellungsbewegung hervorgebracht, erstens aus
der Thatsache, dass eben nicht nur das Schlussglied, sondern auch die vorhergehenden Glieder der Schlussreihe von
unserem Bewusstsein wahrgenommen werden, und zweitens,
und dieses vor allem, aus den körperlichen Spannungsempfindungen, die unsere innere Willensthätigkeit begleiten. — Ehe
wir uns diesen zuwenden, sei aber, neben dem kompliziertesten
Fall, dem wissenschaftlichen Nachdenken, noch an den einfachsten erinnert, an den Fall, dass uns nicht mehrere Vorstellungen zur Auswahl geboten sind, sondern wir nur eine
wahrnehmen, und dieser einen nun unsere Aufmerksamkeit
absichtlich zuwenden. Auch hier lässt sich das als charak-

teristisch angenommene Verhältnis leicht auffinden; auch hier muss, wenn von einem willkürlichen Bewusstwerden die Rede sein soll, dieselbe Vorstellung schon im vorangehenden Zeitmoment vorhanden gewesen sein. In dem Augenblick, in welchem eine Empfindung in uns auftaucht, erscheint uns daher die Wahrnehmung als unwillkürlich, da dem a bis dahin ein Nicht-a voranging; im zweiten Momente aber erscheint es uns als absichtlich festgehalten, eben weil es uns schon im vorangehenden ersten Momente bewusst war. Nur dürfen wir uns auch hier nicht über die Bedeutung des Vorgangs täuschen; wir können a nur so lange wollen, als es wirklich in uns bleibt, und so lange es bleibt, können wir als empirische Persönlichkeit es nicht beseitigen; unser Wollen heisst in diesem Falle also nichts anderes, als dass a in unserem Bewusstsein geblieben ist, und dass wir uns in jedem Augenblick bewusst waren, dass es auch im vorangehenden schon da war.

Aber mehr noch als bei den komplexen inneren Willensbethätigungen macht sich bei diesem einfachen Aufmerken geltend, dass unsere Analyse unvollständig ist, so lange wir die Organempfindungen ausser Acht lassen. Es ist schon oft in der neueren Psychologie darauf hingewiesen, dass solche körperliche Empfindungen unser Aufmerken, Besinnen, Auswählen, Nachdenken zu begleiten pflegen, aber immer wird ihnen die Rolle einer unwichtigen Nebenerscheinung zugewiesen. Diese Zurücksetzung der Organempfindungen ist allerdings in der gesamten Psychologie, nicht nur in der Willenslehre, heute üblich; wie unwesentlich erscheint doch gemeinhin die Stellung, die ihnen bei den Gemütsbewegungen zukommt; sie sollen uns da nur von den körperlichen Nebenwirkungen der Affekte unterrichten, während, wenn uns nicht alles täuscht, die Organempfindungen vielleicht die wesentlichsten Faktoren der Affekte sind und keine zufälligen Begleiterscheinungen. Aber auch dann, um bei der inneren Willensthätigkeit zu bleiben, scheint mir die Bedeutung der Organempfindung nicht genügend ge-

würdigt, wenn sie so aufgefasst werden, als entstehen sie durch
wirklich ausgeführte Bewegungen in den Sinnesorganen. Wo
sich die Muskeln des Augapfels oder der Zunge oder des
Trommelfells wirklich bei gewissem Reiz kontrahieren, da ist
es gerade so, wie wenn die Armmuskeln in Thätigkeit sind;
es handelt sich da also um äussere Willenshandlungen, nicht
um innere, die uns bisher allein beschäftigt. Aber zweifellos
können wir bei Lenkung der Aufmerksamkeit auf räumlich
geschaute Punkte eines Gedächtnisbildes deutliche Innervationsgefühle im Sehapparat haben, ohne dass sich der Augapfel nur
im geringsten bewegt. Wir begnügen uns dafür vorläufig mit
dem üblichen Ausdruck Innervationsgefühl, und können als
Thatsache konstatieren, dass besonders Auge, Ohr und Zunge
uns lebhafte Innervationsgefühle erzeugen, wenn innere Erfahrungen aus den betreffenden Sinnesgebieten uns relativ
längere Zeit bewusst bleiben. Dieses körperliche Thätigkeitsgefühl entspricht der Innervation, die nötig gewesen wäre,
wenn das Organ sich entsprechendem äusserem Reize hätte
anpassen müssen; die Grenze der Leistungsfähigkeit seitens
des Organs entspricht daher auch der Grenze, wo jenes innere
Thätigkeitsgefühl erlahmt. Wenn ich meine Aufmerksamkeit
auf die Vorstellung eines hinter meinem Kopfe befindlichen
Gegenstandes richte, so fühle ich keine Innervation, sondern
ein in den Augenmuskeln lokalisiertes Unbehagen, wie wenn
die Augen in ihren Höhlen umgedreht würden. — Aber auf
die Innervation in den Sinnesorganen sind jene körperlichen
Empfindungen, welche den inneren Willensakt charakterisieren,
nicht beschränkt, wiewohl sie, besonders in mehreren Organen
zusammen bei stärkerer Anspannung der Aufmerksamkeit selten
fehlen. Es kommen dazu in erster Linie Spannungsempfindungen
der Kopfhaut, besonders die Innervation des Stirnrunzlers
nehmen wir deutlich wahr, auch wenn die Bewegung selbst
wieder nicht eintritt; dies gilt vorzüglich für alles Besinnen
und Überlegen. Aber auch auf den Kopf bleibt die körperliche Empfindung nicht beschränkt; wir fühlen bei stärkerer

innerer Willensthätigkeit Sensationen im ganzen Rumpf, die allmählich sogar in die Extremitäten ausstrahlen. Es ist, als würden die Arme und Beine angespannt, um einen Widerstand kräftig fortzuschaffen, und lenken wir unsere Aufmerksamkeit einer Reizquelle auf bestimmter Seite zu, so werden, ohne dass die geringste Kontraktion ausgeführt wird, die Muskeln der betreffenden Körperseite allein innerviert.

Ich kann nun durchaus nicht finden, dass solche Innervationsgefühle für jede innere Willensthätigkeit notwendig sind. Bei den, ohne besondere Hindernisse ruhig den planmässigen Weg fortschreitenden Denkakten, Rechnungen, Schlüssen kann ich weder, wie schon erwähnt, Gefühle als Motive des Willens noch Körperempfindungen als Teile des Willens wahrnehmen. Aber andererseits werden wir uns bei dieser Art der Willensbethätigung während des Schliessens oder Rechnens unserer Willensthätigkeit auch gar nicht besonders bewusst; erst bei nachträglicher Reflexion ergiebt sich uns, dass es wirklich Willensleistung war, und diese Erkenntnis stützt sich dann lediglich auf jenes wichtigste Kriterium, dass die Vorstellung schon im jedesmal vorangehenden Moment dem Inhalte nach im Bewusstsein gegeben war. Überall dagegen, wo wir uns schon während der Willensleistung unserer inneren Arbeit bewusst werden, da ist lebhaftes Innervationsgefühl vorhanden; gerade in diesem besteht ganz besonders das Gefühl innerer Thätigkeit, und die Stärke der Willensanstrengung ist unmittelbarer Ausdruck für die Intensität der Innervation. Ja, wenn man den vorher entwickelten Anschauungen über die zum Willen nötigen Vorstellungsbewegungen entgegen halten wollte, dass wir häufig nur ganz allgemein unsere Aufmerksamkeit anspannen, ohne etwas Bestimmtes zu wollen oder den Willen auf etwas gerichtet halten, während es uns doch entschwindet, so muss ich entschieden einwenden, dass es in allen solchen Fällen sich überhaupt nur um Innervationsgefühle handelte, von einer Willensthätigkeit in der Vorstellungsbewegung aber dort nicht die Rede sein kann. Der innere Wille hat sich

somit in der Analyse als ein sehr mannigfaltiges Vorstellungs-
gebilde erwiesen, zusammengesetzt aus Vorstellungsreihen bestimmter Art und Innervationsgefühlen; etwas Unbekanntes,
den sonstigen Vorstellungen fremdartig Gegenüberstehendes hat
sich in der ersten Empfindungsgruppe, wie wir sahen, nicht
ergeben, es fragt sich also nur, ob irgend ein rätselhaftes
Element in jenen Innervationsvorgängen versteckt ist. Sollten
auch diese sich als blosser Empfindungskomplex erweisen, so
wäre damit der innere Wille auf eine Reihe von Empfindungen
zurückgeführt, deren jede einzelne mit blau, hart, süss, warm
koordiniert ist. Doch die Untersuchung der Innervationsgefühle
lässt sich nicht vornehmen, ohne auch die äusseren Willenshandlungen zu prüfen. Sie bietet uns daher den Übergang zu unserer
Hauptfrage: welche Erscheinungen treten in unser
Bewusstsein, wenn wir eine äussere Willenshandlung
ausführen, also unsere Muskeln kontrahieren?

Es ist selbstverständlich, dass wir die Untersuchung nicht
beginnen werden, ohne das so mühelos auszuführende Experiment anzustellen, etwa einen Gegenstand mit der Hand in die
Höhe zu heben. Aber das Ergebnis dieses Versuches pflegt
doch ein recht dürftiges zu sein; die gesuchte Willensempfindung
kann ich bei diesem Versuch in mir nicht entdecken. Ich
nehme zunächst eine leichte Spannungsempfindung am Kopfe
wahr; dass es sich dabei wieder um Innervation der Kopfmuskulatur, nicht etwa um Gehirnempfindungen handelt, geht
einfach daraus hervor, dass ich bei Bewegung des rechten
Armes die rechte Kopfhälfte angespannt fühle, während die
motorische Reizung doch von der gekreuzten Grosshirnseite
kommt. Im übrigen aber werde ich mir nur bewusst, dass
ich die Bewegung, Beugung im Ellenbogen- und Handgelenk,
thatsächlich ausführe; einen besonderen Impuls zur Bewegung,
der zeitlich etwa zwischen der theoretischen Absicht und der
praktischen Ausführung läge, fühle ich nicht. Ebenso nehme
ich lediglich die ausgeführte Muskelkontraktion wahr, wenn
etwa äusserer Widerstand oder zu grosse Belastung die Aus-

führung der Beugung verhindert; dass auch dann wirklich eine Kontraktion stattfindet, lehrt schon die äusserliche Befühlung. — Ganz anders aber ist es, wenn ich nicht einfach die Absicht habe, einen Gegenstand zu heben, und dieses ausführe, sondern die Bewegung mir langsam zerlege und meine Aufmerksamkeit auf die einzelnen Teile der Beugungen lenke, also nicht den Endeffekt, sondern mit Bewusstsein die einzelnen Hilfseffekte beabsichtige und langsam möglichst gesondert verwirkliche. Jetzt nehme ich in der That mehr als die thatsächlich ausgeführten Bewegungen wahr; es geht der Beugung im Ellbogen jetzt die Empfindung eines eigentümlichen Impulses voraus. Es ist keine allgemeine Anstrengungsempfindung, sondern ein ganz spezifischer Impuls, der für jede Bewegung ein anderer ist und offenbar in Beziehung zu der besonderen beabsichtigten Leistung steht. Freilich wenn ich den Vorgang schnell ablaufen lasse, so wird auch diese Impulsempfindung wieder von der Empfindung der vollzogenen Bewegung im Bewusstsein völlig zurückgedrängt, bei scharfem Aufmerken aber entgeht sie mir doch selten; stets aber geht sie der Bewegung direkt voran, ein drittes schiebt sich nicht dazwischen, ich empfinde unmittelbar jenen Impuls als die auslösende Ursache der Bewegung. Nun mache ich einen zweiten Versuch: durch Kompression lähme ich vorübergehend meinen Arm. Will ich jetzt die Beugung ausführen, so kontrahiert sich kein Muskel, die Wahrnehmung der Bewegung fällt also ganz fort, dagegen tritt jetzt jener spezifische Impuls mit grösster Deutlichkeit und Klarheit in mein Bewusstsein; von keiner nachfolgenden Bewegungsempfindung verdrängt, giebt er mir das Gefühl des fortdauernden Willens. War hier die Thätigkeit des Nerven ausgeschaltet, so wähle ich in einem dritten Versuch schliesslich Bedingungen, bei denen die Reizleitung im Nerven ungehindert, die Bewegung aber durch Sehnenwiderstand unmöglich ist; so kann man z. B., wenn der Zeigefinger in den beiden Gelenken des ersten Gliedes möglichst gebeugt ist, die anderen Finger stark dorsal flektiert sind, das letzte Glied des

Zeigefingers nicht im geringsten mehr beugen [1]), dennoch kann
der Willensimpuls zu dieser Beugung so stark und vor allem
so spezifisch sein, dass ich sehr geneigt bin, ihn bei fehlender
Gesichtskontrolle für die Empfindung vollzogener Bewegung
zu halten. In allen drei Versuchsreihen ist jene Impulsempfindung nun genau dieselbe; sie ist identisch mit dem, was
gemeinhin in der physiologischen Psychologie Innervationsempfindung genannt wird. Wir schliessen uns diesem Ausdruck an, ohne die im Wort liegende Hypothese deshalb zu
accepteren; für unsere psychologische Analyse ist es nicht
die Empfindung der Innervation, sondern die Empfindung des
Impulses, welcher der gewollten Kontraktion vorangeht und
der allein ins Bewusstsein tritt, wenn die Kontraktion beabsichtigt ist, aber aus anatomischen Gründen unterbleibt. Die
Analyse hat nun zu fragen, worin diese Innervationsempfindung
besteht, da der Ausdruck eigentlich nur Aufschluss über die
psychophysische Hypothese, nicht über den psychologischen
Inhalt giebt und an sich ebenso allgemein ist wie der Begriff
Wille. Die Unterlassung dieser psychologischen Analyse hat
sich, glaube ich, bisher schwer gerächt; sie hat dahin geführt,
dass vollständige Verwirrung eingetreten ist; die Innervationsempfindung und die Empfindung der vollzogenen Bewegung
wurden bald willkürlich verwechselt, bald wurde das eine, bald
das andere als allein vorhanden bevorzugt.

Vielleicht beantworten wir die Frage nach dem Inhalt der
Innervationsempfindung leichter, wenn wir unsere bisher erlangten Resultate über den Inhalt der Willensthätigkeit zu
Rate ziehen. Bei der inneren beabsichtigten Vorstellungsbewegung fanden wir genau wie bei der äusseren Willenshandlung zunächst Spannungsempfindungen an der Kopfperipherie.
Wenn wir aber von diesen abstrahieren, so blieb bei der
inneren Willensthätigkeit nur die Thatsache übrig, dass dem

---

[1]) STERNBERG: Vorstellungen über die Lage unserer Glieder, im
Archiv für die gesamte Physiologie. Bd. 37.

Wahrnehmen der gewollten Vorstellung schon eine inhaltlich mit ihr gleiche Vorstellung im Bewusstsein voranging, und bei der äusseren Willenshandlung blieb die andere Thatsache, dass der Wahrnehmung vollzogener Bewegung voranging die sogenannte Innervationsempfindung. Alles Übrige, das in unserem Bewusstsein vorging, gehörte nicht zum Willen selbst, war vielleicht Motiv für denselben, aber Teile des Willens waren nur jene beiden Momente. Ich meine, dass schon diese allgemeine Vergleichung die Auffassung nahe legt, der Wille bestände in beiden Fällen in demselben Vorgang; auch bei der Muskelkontraktion, würden wir demnach schliessen, ist das, was wir Impuls nennen, ausser den Kopfspannungen, nur der Umstand, dass der Wahrnehmung des eingetretenen Effektes schon die Vorstellung desselben vorangeht: die Innervationsempfindung wäre demnach die vor der Bewegung antizipierte Erinnerungsvorstellung der Bewegung selbst. Doch dieser allgemeine Schluss, der naturgemäs das wichtigste Ergebnis unserer Analyse ist, darf nicht nur auf die Analogie mit der inneren Willensthätigkeit gestützt werden, sondern bedarf weiterer Begründung. Wir haben somit zu prüfen, worin die Bewegungsempfindung besteht und welche Gründe dafür sprechen, dass die Innervationsempfindung nur eine Erinnerungsreproduktion der Bewegungsempfindung sei.

Wohl wenige Fragen der physiologischen Psychologie haben so lebhafte Diskussion [1]) hervorgerufen wie die nach der Quelle unserer Bewegungsvorstellung; der Diskussion hier zu folgen, würde uns natürlich zu weit führen, wir müssen uns darauf beschränken, auf einige besonders wichtige Punkte aufmerksam zu machen. Ausserdem bedarf auch gleich die

---

[1]) Das ausführlichste Litteraturverzeichnis bis 1885 in PFLÜGER's Archiv für die gesamte Physiologie. Bd. 37, S. 4—6. Ausser den dort erwähnten Schriften wäre zu verweisen besonders auf: MÜLLER: Grundlegung der Psychophysik. MACH: Die Bewegungsempfindungen. STRICKER: Die wahren Ursachen. RIEHL: Der philosophische Kritizismus. LIPPS: Grundthatsachen des Seelenlebens, u a.

erste und wichtigste Frage, ob es denn eigentlich eine peripher ausgelöste Bewegungsempfindung gäbe, heute wohl überhaupt nicht mehr eingehender Erörterung, da die bejahende Antwort nach langem Streite nun allgemein anerkannt sein dürfte. Wie wäre es auch möglich, die gesamten Bewegungsempfindungen aus der Empfindung des centralen Impulses abzuleiten, da doch die fortwährende Erfahrung uns lehrt, dass wir von jeder passiv hervorgebrachten Bewegung auch ohne Augenkontrolle genaue Kenntniss haben und ganz besonders bei Muskelkontraktion durch lokale Faradisation exakte Bewegungsvorstellungen gewinnen. In der That ist ihre Zurückführung auf innere Anschauung oder auf Innervation allein heute wohl aufgegeben, noch nicht entschieden aber ist dadurch, welches die eigentliche Quelle jener Empfindung ist; hat man sie doch in der Haut, in den Gelenken, im Periost, in den Vater'schen Körperchen, in den Fascien und, selbstverständlich am häufigsten, in den Muskeln gesucht. Die Mitwirkung der Hautempfindung hat nun allerdings viel Wahrscheinlichkeit für sich; abgesehen von den Experimenten mit Fröschen, die, wenn die Haut an den Extremitäten entfernt wird, ungeschickte Schwimmbewegungen machen, spricht die unmittelbare Wahrnehmung entschieden dafür. Zwar kann in diesen Fällen die absichtliche Beobachtung leicht Täuschungen erzeugen, da jedes Achtgeben auf die Haut schon leichte Hautempfindungen hervorruft. Dennoch überzeugt uns der Versuch, wenn wir die Hand in Wasser oder Quecksilber bewegen, so deutlich, wie innig die Tast- und Druckempfindung mit den übrigen Faktoren der Bewegungsvorstellung verschmilzt, dass wir allen Grund haben anzunehmen, auch in der Luft oder bei Reibung an den Kleidern, vor allem aber bei Quetschung und Zerrung gehe die Hautempfindung als mitbestimmender Teil in die gegebene Bewegungsvorstellung ein. Völlig unmöglich aber ist jene einseitige Betonung, dass jene die einzige Quelle für diese sei; dürfen wir doch nur daran erinnern, dass weder künstliche noch die meist vollständigere pathologische Anästhesie die

Fähigkeit aufhebt, sich über die Lage und Stellung seiner Glieder zu orientieren. Auch Verschiebungen oder Zerrungen der Haut täuschen uns kaum über ausgeführte Bewegungen. Ähnlich ist wohl die Stellung der etwa von den Gelenken ausgelösten Empfindungen; von einer Ausschliesslichkeit derselben kann ebenfalls keine Rede sein, sie aber ganz zu leugnen, ist kaum berechtigt. Alle diese Empfindungen gehen als unausscheidbare Elemente in jenen Komplex ein, dessen Grundlage unstreitig die Muskelempfindung ist.

Wir haben hier nicht zu fragen, in welcher Art die Muskelkontraktion oder richtiger die Kontraktionsveränderung auf sensible Nerven erregend zu wirken vermag; vermutlich handelt es sich um eine Wirkung auf ein besonderes Endorgan sensibler Muskelnerven, nicht um Druck auf den Stamm der gemischten. Freilich hat wahrscheinlich noch kein Mensch einen sensiblen Muskelnerven gesehen; die vielversprechenden und vielbesprochenen Untersuchungen von SACHS [1]) haben sich leider als unzutreffend erwiesen [2]), er hat sich durch andere Gebilde täuschen lassen; alles, was wir bis jetzt von Nervenendigungen im Muskel kennen, bezieht sich auf rein motorische. So notwendig aber es auch somit sein mag, die histologische Untersuchung wieder aufzunehmen, so wenig kann das Vorhandensein solcher centripetal leitenden Muskelnerven irgendwie zweifelhaft sein. In erster Linie sind beweisend dafür die Ermüdung und der Muskelschmerz. Gewiss mögen auch in die Ermüdungsgefühle Hautschmerzen eingehen, besonders durch vermehrte Exsudation und Schwellung der Gefässe; die bekannten krampfartigen Schmerzen aber sind um so sicherer auf Muskeln allein zu beziehen, als dieselben oft auf einen einzelnen Muskel lokalisiert bleiben. Geradezu entscheidend sind dann vor allem die aus der Rückenmarkspathologie be-

[1]) SACHS: Phys. u. anat. Untersuchungen über die sensiblen Nerven der Muskeln, in REICHERT's Archiv 1874.

[2]) MAYS: Histol.-phys. Unters. über Verbreitung der Nerven in den Muskeln, in KÜHNE-VOIT: Zeitschrift für Biologie. Bd. 20.

kannten häufigen Fälle, wo ohne Hautanästhesie der Muskelsinn
verloren gegangen; der Kranke weiss im Dunkeln nicht, wie
seine Beine liegen, und dennoch ist er noch im stande die
psychische Innervation wahrzunehmen, wenn auch der Bewegungseffekt durch die mangelnde Muskelsinnkontrolle unsicher
wird; das, was er verloren, ist also lediglich die peripher ausgelöste Empfindung der vollzogenen Kontraktion. Nun wird
das Vorhandensein centripetaler Muskelnerven zwar von der
Mehrheit heute anerkannt, aber nicht die gesamte Bewegungsempfindung soll aus dieser Quelle stammen, sondern ein Bewusstwerden der centrifugalen Reizung wenigstens mit dem der
centripetalen verschmolzen sein; des näheren sollen die sensiblen
Muskelnerven uns über den Umfang der Bewegung, der motorische Apparat aber uns über die aufgewandte Kraft unterrichten. Ich kann diese Auffassung nicht teilen, ich sehe
keinen Grund, nicht sämtliche Bewegungsempfindungen als
centripetale Einwirkungen aufzufassen. Der Ausgangspunkt
jener Theorie, die Trennung zwischen unserer Empfindung des
Bewegungsumfanges, also der Hubhöhe, und der Empfindung
der Bewegungskraft, also der Hublast, ist zweifellos richtig; in
der That war es früher mit Unrecht meist übersehen, dass wir
sehr genau unterscheiden, ob wir die einfache Last eine fünffache Strecke oder die fünffache Last eine einfache Strecke
heben, obgleich der mechanische Wert der Arbeitsleistung in
beiden Fällen derselbe. Gerade die Thatsache dieser Unterscheidung führt mich aber zu der Annahme, dass alle Bewegungsempfindung peripheren Ursprungs. Ja, wenn diese
Unterscheidung uns nicht möglich wäre, wenn wir wirklich bei
gleicher Arbeit, bei gleichem Produkt aus Hubhöhe und Last
immer die gleiche Empfindung hätten, so wären wir auf centralen
Ursprung hingewiesen, denn zwei trotz ihres gleichen Effektes
ganz verschiedene Bewegungskomplexe können unmöglich auf
sensible Muskelnerven übereinstimmend wirken, während der
aufgewandte Arbeitsimpuls sehr wohl in beiden Fällen die
gleiche Stärke haben könnte. Da aber die zwei so verschiedenen

Bewegungen verschiedene Empfindung hervorrufen, so liegt darin gewiss keine Veranlassung, andere als periphere Reize zur Erklärung herbeizuziehen. — Thatsächlich liegt der Grund des Irrtums an ganz anderer Stelle. Wir sind nämlich so sehr geneigt, den Vorgang der Muskelkontraktion lediglich nach der Hubhöhe, nach dem Umfang der Bewegung zu beurteilen und kommen dadurch natürlich leicht zu der Meinung, dass, wenn wir bei gleichbleibendem Bewegungsumfang trotzdem bei wachsender Last immer neue Empfindungen wahrnehmen, diese nicht durch den Muskelvorgang, sondern nur durch centrale Innervation entstanden sein können. Jene Beurteilung des Muskelvorgangs nach der Bewegungsgrösse ohne Rücksicht auf die Last ist aber absolut unberechtigt. Der Bewegungsumfang sagt uns doch nur, wie weit zwei Teile des knöchernen Skelettes sich einander genähert haben, aber durchaus nicht, welche Muskeln beteiligt sind und wie gross die Kontraktion jedes einzelnen. Wenn ich durch Armkontraktion meine Hand leer bis zur Hüftenhöhe hebe und dabei den Oberarm etwa in der Mitte des Bicepsbauches messen lasse, dann in einem zweiten Versuch mit derselben Hand ein Gewicht von -achtzig Pfund wieder in die Hüftenhöhe hebe und wieder messen lasse, so ergiebt sich bei mir eine Umfangsdifferenz von über drei Centimetern, bedingt durch schon äusserlich sichtbare Zunahme der Kontraktion in mannigfachen Muskelbäuchen. Der Vorgang in den Muskeln ist also in beiden Fällen ein ganz verschiedener, obgleich der Bewegungsumfang derselbe, dass aber, wenn überhaupt ein Sinnesapparat vorhanden, um Kontraktionsänderungen wahrzunehmen, diese so verschiedenen Kontraktionskomplexe ungleiche Empfindungen erzeugen, das ist doch notwendige Folge und erheischt nicht erst die Hypothese einer zweiten, nicht im Muskel befindlichen Empfindungsquelle. Wir dürfen eben, wenn wir auch aus der Myologie gewöhnt sind, am Leichenpräparat die Wirkung jedes Muskels in seinem geradlinigen Bewegungseffekt zu studieren, durchaus nicht, das Verhältnis umkehrend, nun schliessen, jede Bewegung sei der

Kontraktionseffekt des einen Muskels, dessen Ansatzpunkte gerade in der Bewegungsebene liegen. Eine isolierte Muskelkontraktion giebt es im physiologischen Geschehen nicht; jede Gliedbewegung ist die Resultante zahlreicher Komponenten; vor allem werden bei jeder Kontraktion auch die Antagonisten kontrahiert [1]), und gerade deren Beteiligung wechselt mit dem Gewicht der Last mehr als mit dem Umfang der Bewegung. Jede Änderung der Aufgabe, mag sie sich auf Höhe oder auf Last beziehen, äussert sich daher in einer Verschiebung der Verhältnisse zwischen den zusammenwirkenden kontrahierten Muskeln; der grössere Umfang erfordert oft Mitwirkung von sonst unbeteiligten Muskeln, die grössere Last lässt oft Muskeln sich schon bei geringer Hubhöhe auf ihr Maximum kontrahieren, kurz die möglichen Kombinationen sind so zahlreich, wie die thatsächlich wahrgenommenen Vorstellungen, die aus den Kontraktionsempfindungen aller beteiligten Muskeln sich zusammensetzen, derart, dass jedem Muskel und jedem Grad seiner Kontraktion eine andere Empfindungsqualität und Intensität zukommt. Verschiedene Qualitäten aber, je nachdem ob die Kontraktion durch Wachsen der Last oder Wachsen des Umfangs vergrössert wird, giebt es entschieden nicht. Wenn ich den Arm unbelastet rechtwinklich beuge, so habe ich im Oberarm sehr schwache Empfindung; wenn ich die Hand dabei stark belaste, so wird die Empfindung sehr intensiv, fast schmerzhaft, trotzdem bleibt es doch qualitativ dasselbe, es bleibt eine Kontraktionsempfindung und wird nicht plötzlich zu einer besonderen Kraftempfindung. Die Kontrolle dafür liegt einfach darin, dass wenn ich die Beugung des unbelasteten Armes passiv bis zur stärksten Annäherung, also bis zu möglichst spitzem Winkel, an mir ausführen lasse, ich genau dieselbe „Kraftempfindung" spüre. In diesem Falle wird nämlich passiv jene Maximalkontraktion des Biceps geschaffen, die unter starker Belastung schon bei geringer Beugung eintrat; jene Kraftempfindung war also die Empfindung maximaler

---

[1]) RIEGER: Hypnotismus. S. 52.

Kontraktion. In der That sind wir mit Recht immer dann geneigt, unsere Empfindung auf die angewandte Kraft zu beziehen, wenn wir die Empfindung maximaler oder nahezu maximaler Kontraktion einzelner Muskeln haben ohne maximalen Bewegungsumfang; gerade hierin liegt aber noch ein anderer Grund, der uns verleitet diese Kraftempfindungen als centrale aufzufassen. Bei den maximalen Kontraktionen der Körpermuskeln treten nämlich, gewissermassen unterstützend, auch ganz besonders jene Kontraktionen der Gesichtsmuskeln und jene Spannungen der Kopfhaut ein; es sind Mitbewegungen, besonders an der beteiligten Seite, deren Empfindungsprodukt so lebhaft in unsere Wahrnehmung tritt, dass hierin vielleicht die unmittelbarste Veranlassung liegt, die maximalen Kontraktionsempfindungen als Kraftsinn dem Kopfapparat, statt dem peripheren zuzuschreiben. Wenn schliesslich zur Unterstützung für die Annahme centraler Empfindungen neben peripheren darauf hingewiesen wird, dass sich die Unterschiedsempfindlichkeit bei passiver Kontraktion, durch elektrische Nervenreizung hervorgerufen, häufig etwas geringer zeigte als bei aktiver willkürlicher Kontraktion [1]), so ist wieder entgegenzuhalten, dass in beiden Fällen wohl der Bewegungseffekt, aber nicht die Muskelbeteiligung dieselbe ist. An der willkürlichen Beugung nehmen sehr viel mehr Muskeln teil, als bei der durch Faradisation; die Veränderungen müssen sich dort somit leichter bemerkbar machen. Wir können also dahin resumieren, dass jede Wahrnehmung vollzogener Muskelbewegung zu stande kommt in erster Linie durch die peripher ausgelösten Empfindungen der verschiedenen zusammenwirkenden Muskeln, dass mit diesen noch Haut-, Gelenk- und Sehnenempfindungen verschmelzen und dass die so entstandene Vorstellung sich sowohl auf den Umfang wie auf die Kraft der Kontraktionen bezieht.

Schon aus dem bisherigen Resultat ergiebt sich nun leicht unsere zweite Behauptung, dass alles, was wir Innervations-

[1]) BERNHARDT: Archiv für Psychiatrie und Nervenkrankheiten. Bd. III.

empfindung, nach STRICKER: Initialgefühle, zu nennen pflegen, und dessen Vorhandensein nach unseren einfachen Versuchen, nach den pathologischen Erfahrungen bei Gelähmten, und nach der fortwährenden Wahrnehmung bei der normalen, langsam und aufmerksam ausgeführten Willenshandlung nicht zweifelhaft sein kann, dass alles dieses nur die der Bewegung vorangehende Erinnerungsreproduktion jener komplexen peripher bedingten Bewegungsempfindung sei. Den Beweis dafür wirklich lückenlos durchzuführen, ist im Rahmen dieser allgemeinen Untersuchung natürlich nicht möglich, denn zu der Vollständigkeit desselben wäre der negative Nachweis nötig, dass keine einzige gegebene Erscheinung der Annahme widerspricht; wir müssten vor allem das ganze Arsenal der Nervenpathologie daraufhin durchmustern, obgleich wir durchaus nicht bestreiten wollen, dass alle jene Fälle erhaltener Innervationsempfindung bei partieller oder totaler Lähmung oder bei Verlust des Muskelsinns sich auch unter der entgegengesetzten Annahme erklären lassen. Wenn jemand Jahre hindurch seine Beine frei bewegt hat, die peripher ausgelösten Bewegungsempfindungen also unzähligemal erlebt hat, dann aber, etwa durch Spinalaffektion gelähmt, nur noch die Innervationsempfindung ohne Bewegungseffekt wahrnimmt und durch diese zu Urteilstäuschungen veranlasst wird, so könnte bei demselben jene Initialempfindung ebenso gut die Wahrnehmung des centralen, jetzt wirkungslosen Impulses sein als auch die mit Kopfspannungen verbundene Gedächtniserneuerung der früher wahrgenommenen Bewegungsempfindungen. Das Bewusstsein der Thatsache, dass früher der Innervationsempfindung stets die Bewegung folgte, würde in beiden Auffassungsweisen die Urteilstäuschungen widerspruchslos erklären. Nur darin würde ich einen entscheidenden Einwand gegen meine Auffassung anerkennen, wenn sich Fälle nachweisen liessen, wo die Lähmung mit gleichzeitiger Muskelunempfindlichkeit angeboren ist und dennoch spezifische Innervationsempfindung für jene Glieder besteht, denn in diesem Falle könnte sie ja in der That nicht

Erinnerung vollzogener Bewegung sein. Es ist aber leicht er-
sichtlich, dass ein solcher Fall nicht nachweisbar ist, denn
Urteilstäuschungen wären ja bei angeborener Unbeweglichkeit
ausgeschlossen, da alle Erfahrungen sich schon von vornherein
mit der eigenen Wahrnehmung der Bewegungsunfähigkeit verbunden hätten; andererseits wäre die Aussage über das Empfinden
der Innervation völlig unzureichend, da der Patient, wenn er
auch die Innervationsempfindung nicht kennt, doch jenes allgemeine, aus Mitspannung anderer Muskeln resultierende An-
strengungsgefühl zusammen mit der theoretischen Vorstellung
der Gliedbewegung unbedingt für die fehlende Innervationsempfindung halten würde. — Anstatt des Nachweises, dass alle
Erfahrungen sich mit unserer Theorie ebenso gut deuten lassen
wie mit der üblichen, weisen wir nun lieber auf einige Punkte
hin, welche offenbar nur bei unserer Annahme, nicht bei irgend
einer anderen zureichend und einfach erklärt werden können;
wir beschränken uns auch hier auf das Wichtigste.

Dahin gehört nun entschieden der Umstand, dass der Quali-
tätsinhalt der Innervationsempfindung uns nicht nur auf die
Muskelkontraktionen der kommenden Bewegung hinweist, sondern auch auf die damit verbundenen Dehnungen und Press-
ungen in Haut und Gelenken; selbst den Zug der Schwere, die
Reibung an den Kleidern, jede experimentell hergestellte Modi-
fikation des Hautdruckes, alles beeinflusst die Qualität der
spezifischen Innervationsempfindung, auch wenn die Bewegung
nicht wirklich ausgeführt wird. Wenn wir die Augen seitlich
zu lenken streben, aber durch noch stärkeren Willensimpuls
doch geradeaus fixiert halten, so wird uns jener schwächere
aufstrebende Impuls recht deutlich als spezifische Innervationsempfindung bemerkbar, aber genau, wie bei der wirklichen
Bewegung, verbindet sich dabei mit der Muskelempfindung
eine Empfindung des Druckes und der Reibung am Lid. Wenn
also die Innervationsempfindung wirklich der Willensimpuls wäre,
so müssten wir bei jeder Bewegung Haut und Gelenke ebenso
wie die Muskeln innervieren, müssten Druck und Reibung

ebenso wollen wie die Kontraktionen, Folgerungen, die selbstverständlich sinnlos sind; wenn dagegen die Innervationsempfindung nur die Erinnerungsvorstellung der früheren Bewegung
ist, so ist es ja notwendige Folge, dass nicht nur die Empfindung der Muskelkontraktion, sondern auch die begleitenden
Empfindungen von Haut und Gelenk durch das Gedächtnis
reproduziert werden. — Noch entscheidender aber dürfte in
dieser Beziehung die Thatsache sein, dass unsere Initialgefühle
sich nicht nur auf die, bisher allein besprochenen relativen Bewegungen, sondern auch auf die absoluten Körperbewegungen
beziehen. Wenn ich in der Hängematte liege, kann ich durch
leichte Schenkelbewegung meinen Körper in longitudinale
Schwingungen bringen; wenn ich nun mit geschlossenen Augen
auf dem Sopha ruhe, kann ich leicht wieder die Innervationsempfindung hervorrufen, die für jene Längsschaukelbewegung nötig
war, jedesmal aber nehme ich in jener Willensintention nicht
nur die Absicht wahr, den Schenkel leicht anzudrücken, sondern
vielmehr den ganzen Körper in jene seitlich schwebende He-
bung zu bringen. Nun kann aber keine Muskelkontraktion
diese absolute Bewegung hervorbringen, und selbst wenn sie
es vermöchte, so könnte in der Impulsempfindung doch nur
die Empfindungsqualität der beteiligten Muskeln liegen, nicht
aber die Empfindung absoluter Bewegung, welche bekanntlich
nicht mittelst der Muskelnerven, sondern durch das Ohrlaby-
rinth wahrgenommen wird. Wieder kann also — und das gilt
bei jeder Beteiligung irgend welcher absoluten Bewegung —
das Initialgefühl nicht die Empfindung der Muskelinnervation
sein, sondern nur Erinnerung an die frühere Bewegung, da
doch nur auf diese Weise die von den Bogengängen ausgelöste Empfindung ein Teil der Impulsempfindung geworden
sein kann.

Gleichsam zur Ergänzung dieser Thatsachenreihe steht
neben ihr eine andere, nicht minder interessante und beachtens-
werte. Wir können nämlich keine Innervationsempfindung von
Bewegungen haben, die zwar an sich möglich sind, die wir

aber noch nie ausgeführt haben; wenn wir dagegen irgend eine schwierige koordinierte Bewegung mehrfach passiv vollzogen haben, so können wir sie deutlich psychisch innervieren, ohne sie deshalb schon aktiv ausführen zu können. Für die gewöhnlichen Bewegungen, die wir alle schon früh ausführen lernen, wären diese Verhältnisse nur beim Kind zu prüfen, und gerade dieses ist natürlich zur Aussage über so schwierige innere Wahrnehmungen völlig untauglich. Wir sind daher auf Versuche bei Erwachsenen mit ungewöhnlichen Bewegungen angewiesen. Wenn wir ein Instrument spielen, eine uns neue Sprache aussprechen lernen oder technische Handgriffe einstudieren, so geht der ersten Ausführung der beschriebenen oder vorgemachten Bewegungskombination niemals gleich die komplexe Innervationsempfindung voraus; wir innervieren erst die eine, dann die andere bekannte Bewegung, und erst wenn die Kombination mehrmals ausgeführt, verschmelzen auch die Innervationsempfindungen. Noch klarer aber tritt der springende Punkt hervor, wenn wir uns nicht erst Mühe geben, durch langsame Einzelinnervation den Bewegungskomplex einzuüben, sondern ihn passiv an uns ausführen lassen. Es lassen sich zu solchen Experimenten ja beliebige Bewegungszusammenstellungen ersinnen; so ist ein bekanntes Beispiel die durch Übung lösbare Aufgabe, gleichzeitig den Oberarm nach aussen, den Unterarm nach innen zu drehen. Ich konnte diese Bewegungskombination weder psychisch innervieren noch aktiv ausführen; ohne letzteres zu üben, liess ich nun durch zwei Personen beide Drehungen gleichzeitig an meinem Arm mehrmals passiv zu stande bringen. Nach kurzer Zeit schon war ich dann im stande, die geforderte Bewegungskombination psychisch zu innervieren; sie aktiv auszuführen vermag ich heute noch nicht. Die Innervationsempfindung kann hier also doch lediglich aus der Erinnerung stammen. Es folgt daraus übrigens selbstverständlich, dass eine psychische Innervation zu überhaupt unmöglichen Bewegungen nicht eintreten kann; ein psychischer Impuls, das eine Auge zu heben, das andere zu senken, ist

nicht möglich. Wir wollen eben nur, was wir können, und
können nicht wollen, was wir nicht können, oder, mit Rücksicht auf die Innervationsempfindung genauer ausgedrückt,
wir können nicht wollen, was wir nicht schon einmal ge-
konnt haben.

Von nicht ganz unerheblicher Bedeutung für unseren Beweisgang dürfte dann auch die Thatsache sein, dass alle Innervationsempfindungen bei Gesunden und Kranken nur von jenem
matten Gefühlston begleitet sind, der den Erinnerungsvorstellungen charakteristisch ist. Wie das blendende Licht, der scharfe
Geschmack, der widrige Duft, der gelle Ton in unserer Erinnerung völlig die starken Gefühle einbüssen, mit denen wir
ihre Wahrnehmung vollzogen, so verliert die bei Belastung oft
recht anstrengende, selbst schmerzende Muskelkontraktion den
lebhaften Gefühlston, wenn wir sie in der Erinnerung als Innervationsempfindung reproduzieren. Wäre letztere dagegen die
unmittelbare Wahrnehmung des Impulses, so würde sie, wenn
der Impuls sich zur Intention anstrengender Bewegung steigert,
doch jedenfalls von kräftigen Gefühlen begleitet sein.

Gänzlich unbeachtet bleibt meistens auch noch eine andere,
sehr interessante Thatsache, die lebhaft für unsere Annahme
spricht. Die Bewegungen der glatten Muskulatur erzeugen
nämlich keine Bewegungsempfindungen und laufen, obgleich
sie central ausgelöst werden, ohne vorangehende Innervationsempfindung ab. Das sind zwei Thatsachen, die nach der gewöhnlichen Auffassung von einander unabhängig sind und mithin lediglich durch Zufall zusammenfallen. An sich könnte
ja sehr wohl auch der glatten Muskulatur ein sensibler Nerven-
apparat zukommen, so dass Bewegungsempfindungen stattfänden,
auch ohne Innervationsgefühl, oder es könnte auch ohne Empfindung vollzogener Bewegung die centrale Innervation empfunden werden. Da nun die glatten Muskeln sowohl bezüglich Innervationsempfindung wie auch bezüglich Bewegungsempfindung die einzige Ausnahme bilden von den Verhältnissen der gesamten Körpermuskulatur, so ist es doch wohl

wissenschaftlicher, diese beiden Eigentümlichkeiten auf eine gemeinsame Ursache zurückzuführen. Sobald wir annehmen, dass die Innervationsempfindung Reproduktion der Bewegungsempfindung sei, so ist es ja selbstverständlich, dass, wenn den glatten Muskeln sensible Nerven fehlen, nicht nur die Kontraktions-, sondern auch die Innervationsempfindungen bei ihnen wegfallen müssen.

In die Reihe der Argumente für die reproduktive Natur der Initialgefühle gehört nun, von anderen minder wichtigen Punkten abgesehen, endlich noch ein Analogieschluss, der uns wieder dem Ausgangspunkt unserer bezüglichen Betrachtung nahe führt. Unsere Auffassung, dass alle Innervationsempfindungen nur die aus der Erinnerung geschöpften Vorstellungen der folgenden Bewegungsempfindungen seien, stützte sich ja zuerst nur auf die Analogie mit der inneren, nicht zur Körperbewegung führenden Willensthätigkeit, da wir auch bei dieser als charakteristisch erkannten, dass der Wahrnehmung des Resultates die Vorstellung desselben vorausging. Aber genau so wie diese, lediglich auf die Vorstellungsbewegung gerichtete Willensleistung, können wir als Stützen des Analogieschlusses diejenigen Willenshandlungen herbeiziehen, deren Ziel nicht einfach die Muskelkontraktion ist, sondern die Erreichung eines äusseren Effektes. Unsere Auffassung, dass die Innervationsempfindung antizipierte Vorstellung der Bewegung sei, wird doch sicherlich an Wahrscheinlichkeit zunehmen, wenn auch für jene letzte Gruppe von Willenshandlungen, die einzige, die uns noch zu besprechen bleibt, sich als charakteristisch erweisen lässt, dass der Wahrnehmung des erreichten Effektes die Vorstellung desselben vorangeht.

Thatsächlich ist nun der psychologische Erscheinungskomplex einer auf Erreichung äusserer Zwecke gerichteten Willenshandlung so einfach, dass er kaum besonderer Analyse bedarf; wir müssen uns nur hüten, die fehlenden Glieder einer Kausalreihe künstlich hinzuzuergänzen und uns schliesslich einzureden, wir hätten sie wirklich erlebt, statt einzugestehen, dass

die im Bewusstsein aufgetauchten Erscheinungen nicht ausreichen, einen Kausalzusammenhang herzustellen. Wenn ich
meine Finger bewege, nicht um die verschiedenen Bewegungen
einzuüben, sondern um etwas Bestimmtes niederzuschreiben,
wenn ich die Muskeln meines Sprechapparates kontrahiere, um
jemandem etwas zu sagen, wenn ich den Arm beuge, um den
Vorübergehenden zu grüssen, wenn ich die Beine hebe, um
eine Treppe zu besteigen, so nehme ich im ersten Stadium
die mehr oder minder deutliche und mehr oder minder anschauliche Vorstellung des Zweckes wahr und im zweiten
Stadium empfinde ich den Zweck als erreicht. Das allein ist
der Typus der äusseren Willenshandlung. Von den hypothetisch ergänzten unbewussten Vorgängen abgesehen, sind es nun
drei verschiedene Umstände, welche dieses einfache Schema
zu scheinbar ungeheurer Kompliziertheit umgestalten können,
erstens die vorhergehende Motivwahl, zweitens die Wahrnehmung
der objektiven Zwischenglieder, und drittens die dem Hauptzweck als Mittel untergeordneten Hilfszwecke.

Dass die Motivwahl nicht zur Willenshandlung selbst gehört, sondern dieser vorangeht, haben wir schon früher erörtert; aber gerade bei der äusseren Zweckhandlung verdient
es besondere Betonung, denn ohne Zweifel sind alle übrigen,
wirklich zum Willen gehörigen, der Wahrnehmung des erreichten
Effektes vorangehenden Bewusstseinserscheinungen oft so flüch-
tig, matt und gefühlsarm, und andererseits drängt sich die
Motivwahl oft so energisch in den Vordergrund, dass wir gar
zu leicht geneigt sind, in ihr einen wesentlichen Teil der Willenshandlung zu suchen. Davon kann keine Rede sein. Wir werden freilich es selbstverständlich finden, dass die Willenshandlungen mit vorausgehender Motivwahl in der Klassifikation der
Bewusstseinserscheinungen getrennt werden von denen, welchen
nur ein Motiv oder gar kein bewusstes Motiv vorausgeht; die
Willenshandlung aber setzt erst ein, sobald ein Motiv aus den
vorliegenden gewählt ist. Natürlich ist diese Motivwahl selbst
wieder eine innere Willenshandlung, aber als innere auf Vor-

stellungsbewegung gerichtete Thätigkeit hat sie uns hier nicht zu interessieren; wir können aus den gegebenen Motiven eines wählen, auch ohne deshalb dessen Ausführung schon zu wollen. Wenn wir übrigens die Willenshandlung schon mit der vorausgehenden Motivwahl beginnen lassen wollten, so müssten wir einen fast unbegrenzten Regress antreten, denn jedes der Motive kann auch schon wieder ausgewählt sein, sei es aus Wahrnehmungen oder Associationen, sei es aus Vorstellungen, die auch schon ihrerseits die Wahl hinter sich haben.

Abstrahieren wir nun von der einer Willenshandlung eventuell vorangehenden Motivwahl und betrachten die Komplikationen ihres eigentlichen Inhaltes. Wir erkannten als solchen die Vorstellung des Zweckes und darauf folgend die Wahrnehmung seiner Erreichung; da die Erreichung aber durch Bewegungen erfolgt, so können diese dem Bewusstsein bemerkbar werden. Wenn ich einen Turm ersteige, so besteht die Willenshandlung darin, dass mir in jedem Moment die Besteigung der höheren Stufe als Zweck vorschwebt und dass ich im nächsten Moment die Erreichung dieses Zweckes wahrnehme; bei der ersten und zweiten Treppe kommt nichts Neues hinzu, bei der dritten fühle ich schon merkbar die Muskelleistung der Beine und bei der sechsten Treppe vielleicht nehme ich bei der Ausführung jeden Schrittes schon einen leichten Muskelschmerz wahr. Diese Bewegungen an sich erfolgen, ohne dass eine auf dieselbe besonders gerichtete Absicht in mein Bewusstsein tritt; ich habe also auch nicht etwa bei jeder Stufe der Treppe Innervationsempfindungen für die folgenden Bewegungen, sondern jene Ermüdungsempfindungen sind unbeabsichtigte Nebenwirkungen der ablaufenden Willenshandlungen. Sie können auf diesem Wege zu einem mehr oder weniger konstanten Empfindungshintergrund für die psychischen Phänomene des Willens werden, wie die Handempfindungen beim Schreiben, Beinempfindungen beim Gehen, Mundempfindungen beim Sprechen und unzählige andere Bewegungsempfindungen, aber bei der Analyse der Willenshandlungen haben sie als

zufällige unwesentliche Nebenerscheinungen völlig zurückzu-
treten.

Gerade das Entgegengesetzte gilt von der Wahrnehmung
derjenigen Mittel zur Zweckerreichung, die wir gesondert als
Hilfszwecke auffassen und beabsichtigen; sie bilden in der That
einen wesentlichen Teil der gesamten Willenshandlung, aber
einen der Art nach neuen Vorgang repräsentieren auch sie
nicht. Der Wille, der sich erst dem Mittel zuwendet, dieses
zum Zweck erhebt, um nach Verwirklichung des Mittels den
Hauptzweck verwirklichen zu können, gleicht völlig dem Willen
in der einfachen, ohne besondere Hilfszwecke auszuführenden
Handlung. Auch der Hilfszweck wird vorgestellt und dann
als erreicht wahrgenommen; ist dieser Hilfszweck eine Körperbewegung, so ist die vorangehende Vorstellung natürlich wieder
das Innervationsgefühl. Die Reihenfolge entwickelt sich derart,
dass zuerst der Hauptzweck ins Bewusstsein tritt und erst
daran sich die Vorstellung des Hilfszweckes anschliesst; die
Wahrnehmung von der Verwirklichung des letzteren ruft dann
die Vorstellung des nächsten Hilfszweckes hervor und so fort.
Es ist selbstverständlich, dass so den primären Hilfszwecken
sich sekundäre, tertiäre unterordnen können, und ist die beabsichtigte Willenshandlung eine grössere Reise, ein Werk,
ein Bau, so kann die Unterordnung von Hilfszwecken unbegrenzt sein. Das Fortdauern der Vorstellung des Haupt-
zweckes hält dennoch die untergeordneten Handlungen fest zusammen und macht sie zu einer apperzeptiv geregelten Willenshandlung, während sie sonst in eine Reihe einander zufällig
auslösender Einzelhandlungen zerfallen würden, deren letztes
Ergebnis dem Willen nur als Ergebnis der letzten Handlung,
nicht sämtlicher erscheinen würde. — Wenn auf diese Weise
durch Einordnung der Vorstellungen von Hilfszwecken verschiedenen Grades die Willenshandlung sich unendlich komplizieren kann, so ist nicht zu verkennen, dass thatsächlich wir
nicht immer alle Teile wahrnehmen, vielmehr durch Übung
immer mehr Hilfszwecke ausführen, ohne ihrer uns bewusst zu

werden. Der Anfänger im Klavierspiel fühlt die psychische
Innervation der verschiedenen Fingerstellungen und nimmt gesondert auch ihre Ausführung als Bewegungsempfindung wahr;
der fertige Spieler will den Ton und nimmt dann den an-
geschlagenen Ton wahr, ohne seines Fingervorganges sich bewusst zu werden. Das bedarf ja nicht erst weiterer Beispiele;
erst die Möglichkeit, selbst recht komplizierte Hilfszwecke auszuführen, ohne sie psychisch zu beabsichtigen und gesondert
wahrzunehmen, schafft uns ja die Fähigkeit, zu immer höheren
Zwecken fortzuschreiten; unsere Aufmerksamkeit würde erlah-
men, wenn sie, um dem Ziel zugewandt zu sein, auch alle die
Mittel besonders erfassen müsste, die sie beim Beginn der
Übung als Hauptzwecke gewollt hat. Wie könnte Sprache
und Feder derjenige höheren Zwecken dienstbar machen, der
seine Aufmerksamkeit noch auf die zum Schreiben und Sprechen
nötigen Muskelkontraktionen im Einzelnen vergeuden müsste.
Aber noch mehr: wer sich nicht über sich selbst täuscht, kann
nicht leugnen, dass auch durchaus nicht in jeder Willenshandlung, deren Effekt wir als erreicht wahrnehmen, uns vorher
eine Zweckvorstellung ins Bewusstsein trat. Freilich sind wir
uns während der Ausführung dann auch nicht unserer freien
inneren Thätigkeit bewusst, wir betrachten gewissermassen erst
durch nachträgliche Reflexion den erreichten Effekt als Produkt zweckmässiger Willenshandlung; und dieser Fall ist wahrlich nicht selten. Die Theorie kann sich indessen diesem praktischen Gesichtspunkte nicht anschliessen. Der Praxis ist es
gleichgültig, ob die Handlung zweckbewusst erfolgte oder nicht,
wenn nur das gesamte psychische System als unbewusster Kau-
salitätsgrund gesetzt werden kann, ebenso wie der Einfall des
Genies der Persönlichkeit genau so zugerechnet wird wie das
Denkresultat des Talentes. Die Theorie hat nur jenen Denkakt, nicht den Einfall als innere Willenshandlung zu betrachten,
und muss nun ebenso auch hier ihre scharfe Grenze ziehen: die
Handlung, deren Effekt in unsere Wahrnehmung tritt, ohne
dass er als Zweckvorstellung im Bewusstsein voranging, ist vom

psychologischen Standpunkt keine Willenshandlung, sondern Handlung aus Instinkt. Es ist bekannt, wie, aus der richtigen Erkenntnis, dass hier alle Momente eines psychologischen Kausalzusammenhanges im Bewusstsein fehlen, gerade hier die Reflexion den „unbewussten Willen" zur Alleinherrschaft erheben durfte; so nützlich aber sich seine vorübergehende Annahme dem Kausalbedürfnis erweisen mag, so notwendig ist der stete Hinweis, dass in den Bewusstseinserscheinungen an sich gar keine Veranlassung zu solcher Hypothese liegt.

Wir können unsere kurze Betrachtung nicht schliessen, ohne nicht noch einige Begriffe wenigstens zu erwähnen, die gewöhnlich in der Psychologie der Willenshandlung die Hauptrolle spielen. Die Instinkthandlung, bei welcher keine Zweckvorstellung vorangeht, haben wir soeben von der Willenshandlung geschieden; innerhalb dieser hatten wir früher schon die Wahlhandlung, bei welcher die Zweckvorstellung sich erst aus einer besonderen Motivwahl ergiebt, von der Triebhandlung getrennt, deren Motiv eindeutig ist. Es ist freilich nicht zu verkennen, dass wir den Ausdruck Triebhandlung in etwas schwankender Weise zu benutzen pflegen; oft ist da nicht nur die Zweckvorstellung ohne Wahl gegeben, sondern sie ist auch noch undeutlich, verschwommen, den Instinkten ähnlich, oder in andern Fällen ist zwar die Vorstellung des Endzweckes klar gegenwärtig, aber die zur Erreichung notwendigen Hilfszwecke werden nicht bewusst, und schliesslich können in der Triebhandlung die Hilfszwecke vom Bewusstsein erfasst und ausgeführt werden, ohne dass der dadurch ermöglichte Endzweck vorher als Vorstellung gegeben war.

Ergeben sich hier also nur fliessende Grenzen zwischen den verschiedenen Bezeichnungen, so sollten doch alle diese Begriffe scharf getrennt werden von Wunsch, Begierde, Vorsatz und Entschluss, da diese letzteren lediglich einen theoretischen Zustand der Seele bezeichnen, niemals aber einer Handlung entsprechen können. So kann Wunsch und Begierde zum Motiv einer Willenshandlung werden, niemals aber zur Willenshandlung selbst. Der Wunsch ist die von Lustgefühl oder komplexem Lustaffekt begleitete Vorstellung eines zukünftigen Geschehens, ohne Erwägung, ob der gewünschte Vorgang auch möglich ist; eine allgemeine, freilich oft undeutliche und untergeordnete Vorstellung von dieser Geschehensmöglichkeit und ihrer Mittel und Wege tritt in der Begierde zum Wunsch hinzu. Die Begierde steht daher dem Willen viel näher als der Wunsch; wünschen können wir alles, auch das Unerreichbare, begehren können wir nur was wir eventuell auch wollen können. Die Sterne, die begehrt man nicht, aber wünschen können wir sehr wohl, ihnen nah zu sein. Damit nun aber aus der Begierde nach dem Erreichbaren die entsprechende Willenshandlung werde, muss nicht mehr und nicht weniger hinzutreten als eben die Ausführung, damit die Vorstellung des Zieles durch die Wahrnehmung seiner Erreichung ergänzt wird. Nun entspricht diese Darstellung aber doch nicht der üblichen Schilderung; es wird uns meist versichert, dass wenn die Begierde sich in Willenshandlung umsetzen soll, ein gewisses „Etwas" hinzukommen müsse, das den letzten Anstoss giebt. Zweifellos ist dieses mysteriöse „Etwas" nichts anderes als die Vorstellung des ersten Hilfszweckes, und wenn dieser erste Hilfszweck eine gesondert appercipierte Bewegung ist, die entsprechende Innervationsempfindung. In der That geht die Verwirklichung der gewünschten Handlung ja dann erst vor sich, wenn die Ausführung der ersten Hilfsbewegung beginnt und diese kann erst gewollt werden, sobald ihr Ziel vorgestellt wird. Andererseits schliesst sich an die Ausführung der ersten untergeordneten Hilfsbewegung unmittelbar die Vorstellung der nächsten und so weiter, so dass wirklich das Auftreten der Vorstellung des ersten Hilfszweckes, respektive des Innervationsgefühles das Signal für die Ausführung des gesamten Handlungskomplexes abgiebt und somit nicht zufällig jenes „Etwas" als das entscheidende Moment aufgefasst wird, das zur Begierde hinzukommen muss, um sie zur Befriedigung überzuführen. Selbstverständlich sind auch Wunsch und Be-

gierde schon von jenen Innervationsgefühlen und wirklichen
Spannungswahrnehmungen begleitet, die wir als stete Begleiterscheinung der inneren Thätigkeit schon früher erwähnten;
dass jene Spannungen teils wirkliche Anpassungen der Sinnesorgane an die vorhandenen oder erwarteten oder vorgestellten
Reize sind, teils Mitbewegungen der Kopfmuskeln bei dieser
Sinnesorganeinstellung, und dass die Innervationsempfindungen
Vorstellungen von allen beiden Arten dieser Bewegung sind,
das ist nach den früheren Auseinandersetzungen selbstverständlich.

In noch höherem Masse theoretisch sind nun jene Seelen-
inhalte, die wir als Vorsatz und Entschluss bezeichnen. Der
Entschluss enthält nur die Überzeugung davon, dass wenn bestimmte äussere Bedingungen eintreten werden, speziell wenn
die Zeit gekommen sein wird, wir etwas Bestimmtes wollen
werden. Er ist das Resultat einer Überlegung, einer Abwägung der Folgen, und falls die Bedingungen schon gegenwärtig sind, der Wille also nach vollendetem Entschluss sofort
einsetzt, so fällt der Entschluss zusammen mit der Wahl
zwischen verschiedenen Motiven. Ganz dasselbe gilt vom Vorsatz, nur bezieht er sich nicht auf eine bestimmte einzelne
Handlung, sondern enthält mehr allgemein die Überzeugung,
dass wir unter bestimmten Bedingungen, so oft sie auch eintreten mögen, immer in bestimmter Richtung wollen werden;
ein Vorsatz in der Sphäre der ethischen Handlungen wird zur
Maxime.

Fragen wir schliesslich, worin denn nun das empirische
Freiheitsgefühl bei unseren Willenshandlungen besteht, so
müssen wir es zweifellos in dem Bewusstsein der Thatsache
suchen, dass der als erreicht wahrgenommene Effekt
übereinstimmt mit der als Zweck antizipierten
Vorstellung; das ist die innere Freiheit der Triebhandlung.
Die höhere Freiheit der Wahlhandlung stützt sich aber noch
auf das weitere Moment, dass auch die Motive für die Wahl jener
Zweckvorstellung dem Bewusstsein gegeben waren und diese

Wahl selbst sich im Bewusstsein vollzog. Doch auch das lebendigste Gefühl praktischer Freiheit kann nichts an der Thatsache ändern, dass der Wille selbst aus nichts weiter besteht als aus der, von associierten Kopfmuskel-Spannungsempfindungen häufig begleiteten, Wahrnehmung eines durch eigene Körperbewegung erreichten Effektes mit vorhergehender aus der Phantasie, d. h. in letzter Linie aus der Erinnerung geschöpfter Vorstellung desselben, und dass diese antizipierte Vorstellung, wenn der Effekt eine Körperbewegung selbst ist, uns als Innervationsempfindung gegeben ist.

Nachdem die empirisch psychologische Prüfung damit beendet, drängt sich uns endlich die Frage auf, wie es sich denn nun mit der psychischen Kausalität verhalte, in wie weit also die geschilderten Erscheinungen sich als gesetzmässige Vorgänge eines hypothetischen Seelensubjektes erweisen. Diese scheinbar schwierigste Frage ist durch unsere empirische Willensanalyse wesentlich vereinfacht. Dass der Bewusstseinsinhalt, den wir Wille nennen, keine besondere, von den Empfindungen geschiedene Funktion der Seele sei, kann uns ja jetzt nicht mehr zweifelhaft sein. Wir sahen, dass es einen allgemeinen konstanten Willen überhaupt nicht giebt, sondern nur zahllose einzelne Wollungen, und dass diese lediglich eine bestimmte Anordnung sind von Wahrnehmungsvorstellungen und Erinnerungsvorstellungen oder, da alle Vorstellungen aus Empfindungen bestehen, eine bestimmte Anordnung von Empfindungen. Eine Seelentheorie wird somit den gesamten psychischen Erscheinungen gerecht, wenn sie als einzige Funktion der Seele die Empfindung annimmt, welche durch Qualität, Intensität und Gefühlston charakterisiert ist; eine bestimmte Gruppierung von Empfindungen nennen wir Wille. Die Frage nach der psychischen Kausalität beschränkt sich mithin darauf, ob die Empfindungen des einen Zeitmomentes als zureichende Ursache gedacht werden können für die Empfindungen des nächsten Momentes. Diese Frage ist entschieden zu ver-

neinen. Fortwährend tauchen Vorstellungen in mir auf, drängen
sich Wahrnehmungen heran, fallen Ideen mir ein, trennen und
verbinden sich Empfindungen, ohne dass im jedesmal vorangehenden, wirklichen Bewusstseinsinhalt die geringste Veranlassung dazu gegeben wäre. Selbst wenn ich mir eine Bewegung
meines Körpers vorstelle, weiss ich nicht, ob die Wahrnehmung
der Bewegung darauf folgen wird; ich weiss nur, dass ich dann
allein den Empfindungskomplex als Willen bezeichne. Es kann
daran also kein Zweifel sein, dass die im Bewusstsein thatsächlich vorhandenen Empfindungen nicht ausreichen, um daraus
eine psychologische Kausalreihe zu bilden. — Das Kausalbedürfnis muss deshalb, im Gegensatz zu den Hypothesen
über das Substrat der räumlichen Erscheinungen, über das
wirklich Wahrgenommene hinausgehen und die Lücken desselben durch inhaltlich koordinierte Ergänzungen ausfüllen; so
kommen zu den bewussten Empfindungen die unbewussten, d. h.
die latenten Erinnerungen an frühere Empfindungen hinzu. Das
Material ist durch diese Ergänzungen so fast unbegrenzt ge-
wachsen, dass es dadurch zur Konstruktion von Kausalreihen
bei Auswahl des Passenden im allgemeinen geeignet ist; freilich auch nur im allgemeinen, denn wenn auch jede Bewusstseinserscheinung mit den unbewussten Nachwirkungen der früheren
Bewusstseinserscheinungen weit eher in Zusammenhang gebracht
werden kann, so versagt dieses doch völlig bei neu auftretenden
Wahrnehmungen oder bei ganz neuen Kombinationen. Das,
was wir durch jene Ergänzungen erreicht haben, ist mehr eine
Erklärung für die Praxis, nicht für die Theorie. Für die Praxis
können wir in hinreichend sicherer Weise schliessen, dass bestimmte Erfahrungen, Erinnerungen, Erlebnisse unter gewissen
Wahrnehmungsbedingungen auch bestimmte Vorstellungen hervorrufen werden; wir können bei jedem aus den im Leben
aufgespeicherten latenten Empfindungen mit genügender Be-
stimmtheit die vorhandenen Empfindungen gewissermassen vor-
hersagen. Diese praktisch ausreichende Schätzung vertieft sich
offenbar zu einer auch theoretisch genauen Berechnung, wenn

wir die Hypothese noch weiter über die Grenze des Empirischen hinaus ergänzen, wenn wir nämlich den einzelnen Seelensubjekten individuelle Eigentümlichkeiten zuschreiben. Ohne Zweifel fördert derselbe Empfindungsinhalt in dem einen Bewusstsein ganz andere Kombinationen zu Tage als im anderen; wir müssten, um die psychischen Phänomene eines bestimmten Momentes zu erklären, mithin ausser den Nachwirkungen sämtlicher früherer Erfahrungen auch noch bei jeder Seele eine bestimmte Eigenart annehmen, die vorhandenen Empfindungen leichter oder schwerer zu erneuern, leichter oder schwerer zu verbinden und zu trennen, Voraussetzungen, die der Seelenhypothese schon etwas Gekünsteltes und Unnatürliches geben, denn diese Verschiedenheit der Seelen wäre an sich unerklärbar. — Aber nehmen wir nun selbst alles dieses an, acceptieren wir somit die Möglichkeit einer genauen Berechnung des gegenwärtigen Bewusstseinsinhaltes für eine bestimmte Seele aus den Elementen ihrer sämtlichen früheren Inhalte und ihrer spezifischen funktionellen Eigentümlichkeiten: so wäre doch nicht zu verkennen, dass selbst in diesem Falle die gesamte Berechnung sich auf Erfahrung stützen würde, auf Regeln, die aus gleichmässigem Ablauf der Erscheinungen abstrahiert sind; von einem Einblick in die Gründe des Geschehens, von einer Zurückführung auf allgemeine Gesetze wäre nichts zu spüren. Alle physikalischen Gesetze führen in letzter Linie auf die physikalischen Axiome zurück, die, als Anwendungen der logischen Axiome auf den Begriff der Materie, für uns denknotwendig sind. Solche denknotwendigen Axiome in der Psychologie giebt es nicht, die Gesetze im Ablauf der Empfindungskomplexe sind nur empirisch zu begründen; weshalb auf die eine Empfindung die andere folgt, auf die Innervationsempfindung die Bewegungsempfindung, ja selbst weshalb von zwei associierten Vorstellungen die eine mit der anderen auftritt, ist logisch zwingend nicht zu beweisen. So wird die Psychologie hingedrängt zu Hypothesen, die noch über die bisherigen hinaus·gehen und auch nicht mehr einmal dem empirisch Gegebenen analog sind, zu rein metaphysischen Voraussetzungen; aus metaphysischen Gründen muss sie die Vorgänge des Seelenlebens, d. h. das Kommen und Gehen, Verbinden und Trennen der Empfindungen erklären, da psychologische Gründe nicht ausreichen. Nur metaphysisch kann sie mithin erklären, weshalb in bestimmtem Moment ohne empirische zwingende Ursache in unserer Seele der Empfindungkomplex auftritt, den wir Wille nennen.

III.

Die Willenshandlung als bewusste Bewegung.

Vergegenwärtigen wir uns noch einmal die Gründe, die uns zu unserer bisherigen Untersuchung veranlassten. Wir wollten das Problem der empirischen Willenshandlung prüfen, die Frage beantworten, wie unser Wille es vermag, unseren Arm zu bewegen. Wir erkannten nun von vornherein, dass uns die Willenshandlung in doppelter Form gegeben ist, erstens als Vorgang in der räumlich geordneten Welt, also als Bewegung, zweitens als Vorgang in unserem Bewusstseinsinhalt. Beide Vorgänge sind Erscheinungsformen; der eine gehört der physischen, der andere gehört der psychischen Welt an. Nun nötigten, wie bekannt, die uns räumlich gegebenen Erscheinungen, deren Untersuchung die Aufgabe der Naturwissenschaft ist, beim Versuche kausaler Erklärung stets zur Hypothese einer ihnen zu Grunde liegenden Materie; die unräumlichen Erscheinungen dagegen, deren Prüfung den Geisteswissenschaften obliegt, führten, bei hypothesischer Ergänzung der vermuteten Erscheinungslücken durch unbewussten, also nicht gegebenen Inhalt zur Annahme einer Seele. Aus der Materie liessen sich dann die physischen Vorgänge, aus der Seele die psychischen, jede Reihe für sich ohne inneren Widerspruch entwickeln; es fragte sich nun, ob eine Hypothese möglich sei, welche beiden Erscheinungsreihen zugleich gerecht wird. Die Physik konnte in ihrer Sphäre niemals die seelischen Erscheinungen erklären, und ebenso wenig konnte die

Psychologie den physikalischen Prozess verständlich machen; beide sind aber gegebene Erscheinungen; dass mein Wille sich in mir regt, ist mir genau so wahr, als dass mein Arm sich bewegt, die Psychophysik hat daher die unabweisbare Aufgabe, eine Hypothese zu schaffen, welche beide Erscheinungsreihen umfasst. Zur Lösung dieser Aufgabe wollten wir beitragen.

Wir hatten somit das erkenntnistheoretische Problem, wie unser Bewusstsein zu jenen verschiedenen Erscheinungen gelangt, völlig ausgeschlossen; wir hatten ebenso wenig danach zu fragen, was jenen beiden Phänomengruppen metaphysisch zu Grunde liegt. Das Wesen der Dinge, die Dinge, wie sie in Wirklichkeit sind, beschäftigen uns hier somit nicht; unsere Lösung will mithin keine absolute Wahrheit ent: decken, sondern die hypothetischen Hilfsvorstellungen präzisieren, welche geeignet sind, die gegebenen Erscheinungen beider Arten einheitlich zu verbinden. Wir hatten gesehen, dass die üblichen Hypothesen dieses nicht vermocht, insofern als nach gewöhnlicher Annahme das Einwirken des Willens auf den Körper, ein Eingriff des Immateriellen in das Materielle, fortwährend dem Gesetze der Materie widerspricht und scheinbar ein Wunder herstellt. Wir mussten daher, um unberechtigte Übergriffe der Psychologie in das Gebiet des Physischen und der Physik ins Gebiet des Psychischen von vornherein zu vermeiden, zunächst die Ansprüche beider Seiten gesondert feststellen. Soweit es im engsten Rahmen möglich, haben wir diese Feststellung durchgeführt und beendet. Wir sahen, dass die Willenshandlung als Bewegungsvorgang sich völlig auch in den höchsten Formen erklären liess durch die gewöhnlichen Voraussetzungen der Naturwissenschaft ohne Zuhilfenahme eines immateriellen Prinzips; aus dem Gesetze der Materie war nicht nur das Postulat mechanischer Erklärung für alle Körperbewegungen abzuleiten, sondern wir konnten auch einerseits verfolgen, wie, ähnlich den übrigen zweckmässigen Organen, auch der sensorisch-motorische

Apparat in stetig steigender Differenzierung sich entwickeln
musste, andererseits wie die Reize der Aussenwelt derart auf
diesen angeborenen Apparat einwirken mussten, dass im Laufe
der Jahre immer kompliziertere Bewegungsreaktionen ausgelöst
wurden, die schliesslich die ganze Fülle der bekannten Trieb-
und Willkürhandlungen umfassten. Wir verfolgten dann den
Willen und die Willenshandlung von der psychologischen Seite
und fanden bei der empirischen Analyse im Willen durchaus
nichts Unbekanntes, nichts, das dem Empfindungsinhalt der
Seele unkoordiniert gegenüberstände, sondern lediglich eine
bestimmte Reihenfolge von Empfindungskomplexen; wir sahen,
dass wir dann von einer Willensleistung sprechen, wenn
der Wahrnehmung eines durch eigene Bewegung erreichten Effektes die Vorstellung der Erreichung,
respektive der Bewegungsempfindung die Erinnerungsvorstellung derselben, d. h. die Innervationsempfindung voranging. Wir überzeugten uns aber, dass zur
wirklichen Erklärung dieser einfachen Vorstellungsbewegung der
empirische Bewusstseinsinhalt nicht ausreichte, dass wir, selbst
durch hypothetische Ergänzungen den Seelenbegriff nie so gestalten können, dass sich die regelmässigen Erscheinungsfolgen als
notwendige Wirkung bestimmter, ihrem Wesen nach unmittelbar
verständlicher Gesetze begreifen lassen. Jeder Versuch, die
psychologischen Erscheinungen aus dem Wesen der Seele zu erklären, blieb ein metaphysischer; die Psychologie an sich war
dazu unzureichend. Es versteht sich von selbst, dass nun unsere
letzte Aufgabe, die Gestaltung einer psychophysischen Hypothese, welche den psychologischen und physiologischen Daten
gleichmässig gerecht wird, diese den psychologischen Phänomenen zu Grunde gelegten metaphysischen Spekulationen ausser
Acht zu lassen hat. Wir hatten uns von vornherein darauf
beschränkt, beide Erscheinungsreihen widerspruchslos vereinigen
zu wollen, ohne metaphysische Erörterung; zu den Erscheinungsreihen gehören aber nur die psychischen Phänomene, nicht die
hinter den seelischen Erscheinungen verborgenen treibenden

Kräfte der Seele, in denen die Metaphysik die Ursachen der Vorstellungsbewegung suchen mag.

Wie ist nun eine in sich widerspruchslose Vereinigung der materiellen und seelischen Erscheinungen vorstellbar? Die logisch nächstliegende Antwort wäre natürlich die, dass beide Reihen sehr wohl in der Welt derart vereinigt vorgestellt werden können, dass jede von der anderen völlig unabhängig abläuft. Ohne Zweifel wäre jede Schwierigkeit damit beseitigt, denn die Vorgänge der Raumwelt und die unräumlichen Vorgänge der Seele könnten ja nie in Kollision geraten. Diese primitivste psychophysische Hypothese würde also die Erscheinungen der Materie und die Erscheinungen der Seele ohne inneren Widerspruch vereinigen; nur lässt sie nicht die geringste Erklärung zu für die Thatsache, dass beide Erscheinungsreihen in weitgehender Wechselwirkung stehen. Mit jedem Erregungsvorgang, welcher unseren zur materiellen Welt gehörigen Körper trifft, ist bekanntlich ein Vorgang in der Seele, eine Empfindung verbunden, und andererseits ist an unzählige Seelenvorgänge, an unsere Willensregungen, unsere Gemütsbewegungen, zum Teil selbst an unsere Vorstellungen eine Erscheinungsveränderung des Körpers geknüpft. Ja, unsere ganze Kenntnisnahme von der Raumwelt und unser Streben, in derselben zu wirken, sind undenkbar, wenn nicht an der selbstverständlichen Thatsache festgehalten wird, dass zwischen Seelenwelt und Körperwelt unmittelbare Beziehungen stattfinden. So lange wir die beiden Erscheinungsreihen gesondert untersuchten, konnten wir diese Wechselbeziehungen natürlich nicht berücksichtigen; jetzt wo wir beide Reihen zusammen betrachten, müssen wir von einer Materie und Seele umspannenden Theorie in erster Linie Berücksichtigung dieses Zusammenhanges verlangen. Dass dieses Zusammentreffen nur zufällig sei, ist natürlich keine wissenschaftliche Hypothese, da es nicht hier und da, sondern fortwährend stattfindet, jeder experimentellen Prüfung Stand hält, zur Grundlage unseres praktischen Lebens und zur Voraussetzung jeglicher Wissenschaft geworden ist.

Von den unter Berücksichtigung dieser Thatsachen noch möglichen psychophysischen Hypothesen ist nun die logisch nächststehende offenbar, dass, wenn die Übereinstimmung im Ablauf der beiden Reihen keine zufällige sein kann, sie vielmehr von vornherein beabsichtigt ist. Die Materie und die Seele sind von Anbeginn an so eingerichtet, dass jede für sich zwar ihre Phänomene produziert, die Erscheinungen auf beiden Seiten aber in jedem Moment aufeinander hinweisen; die Harmonie wäre somit nicht zufällig, sondern prästabiliert. Auch wenn diese Theorie nicht so direkt an den bedeutendsten Vertreter des philosophischen Dogmatismus erinnern würde, so könnte doch kein Zweifel sein, dass ihre ganze Grundlage auf metaphysischer Spekulation beruht und weit über die Grenzen einer psychophysischen Hypothese hinausgeht. Vom empirischen Standpunkt können wir doch unmöglich eine Theorie acceptieren, die weit kompliziertere Elemente einführt, als uns gegeben, denn ein schöpferischer Intellekt, der die ganze kosmische und psychische Welt vordenkt und aus sich heraus beide schafft, ist, für nicht metaphysische Theorien, doch ein unendlich schwierigeres Problem als das gegebene, das seinerseits dadurch auch noch nicht gelöst, sondern nur hinausgeschoben wird. Den Urgrund der Dinge kann uns ja auch solche Spekulation nicht entdecken, denn sie beachtet nicht, dass sie nur an Erscheinungen anknüpft, dass die prästabilierte Harmonie sich nur auf zwei verschiedene Reihen von Phänomenen unseres Bewusstseins bezieht, nicht auf die Dinge selbst; wenn aber eine Theorie der Erscheinungen versucht werden soll, eine Theorie also, in deren Voraussetzung es liegt, dass sie unfähig ist, die Wirklichkeit der Dinge darzustellen, so muss als erste Forderung an dieselbe aufgestellt werden, dass sie die Erscheinungen erklärt, möglichst wenig ihnen hinzufügt und möglichst einfache Voraussetzungen macht. Keinen der drei Punkte erfüllte jene nahe liegende, in mancherlei Formen aufgetauchte und noch nicht verschwundene Spekulation im Sinne der prästabilierten Harmonie; wir müssen also zu weiteren Hypothesen fortschreiten.

ist wertlos und interesselos, wenn ausser meinem Bewusstsein kein anderes existiert. Ob die Existenz eines fremden Bewusstseins sich beweisen lässt, ist eine erkenntnistheoretische Frage, die wir nicht berühren; das aber wissen wir, dass wenn wir eine Hypothese suchen, welche nicht etwa absolute Wirklichkeit wiedergeben, sondern lediglich als Hilfsvorstellung für die Auffassung des Gegebenen und die praktischen Zwecke der Wissenschaft dienen soll, dass wir dann jede Hypothese ablehnen werden, welche den Solipsismus, d. h. das Erlöschen jeder der Menschheit gehörenden Wissenschaft in sich fasst. Es bleibt uns somit nur der Schluss, dass unsere Annahme falsch, dass der Ablauf der räumlichen Erscheinungsreihe nicht durch die psychische bedingt sei, sondern — es war die einzige Hypothese, die uns noch blieb — dass die Reihenfolge der Bewusstseinserscheinungen bedingt sei durch den gesetzmässigen Ablauf des materiellen Geschehens.

Wir sind zu dieser Vorstellung durch Ausschluss aller anderen Möglichkeiten gelangt; es erübrigt uns noch darauf hinzuweisen, dass sie nicht nur nicht wie alle anderen Hypothesen zu wissenschaftlichen Absurditäten oder zu metaphysischen Spekulationen führt, sondern dass sie sämtlichen Anforderungen an eine psychophysische Hypothese gerecht wird. Wir sahen zunächst, dass die empirischen Erscheinungen der äusseren Erfahrung sich zu einer geschlossenen, dem Kausalbedürfnis entsprechenden Reihe ordneten, dass dagegen die Bewusstseinserscheinungen häufig intermittierten und auch wo sie in unmittelbarer Succession auftraten, wohl eine gewisse Regelmässigkeit in der Erscheinungsfolge aufwiesen, dagegen nicht bestimmten denknotwendigen Gesetzen sich unterordneten, eine psychische Kausalitätsreihe also empirisch nicht gegeben war. Beides ist nun in der gewählten Hypothese aufs einfachste ausgedrückt. Die Materie beharrt mit ihren ewigen unabänderlichen Gesetzen, ihre Prozesse müssen also eine kontinuierliche, voraus berechenbare Reihe bilden; die psychischen

Erscheinungen sollen aber nur durch gewisse materielle Vor-
gänge bedingt sein; immer also nur da, wo bestimmte materielle
Erscheinungen auftreten, tauchen die Bewusstseinsphänomene
auf und zwar in der Reihenfolge, wie sie durch die physischen
Gesetze bedingt ist. Darin liegt es eben, dass die psychischen
Erscheinungen nicht kontinuierlich sind, dass sie zweitens keine
Kausalreihe bilden, und dass sie drittens doch nicht regellos
erscheinen; ihre Regelmässigkeit ist nur durch kein psychisches
Gesetz bedingt, sondern durch die Gesetzmässigkeit im Ablauf
der entsprechenden räumlichen Erscheinungen. Darin liegt
aber zugleich auch noch die Erklärung für das postulierte
Dasein anderer Bewusstseinsinhalte, denn, wenn die psychischen
Erscheinungen an räumliche geknüpft, so können wir nicht
nur, sondern müssen annehmen, dass jedem Körper wie dem
unsrigen auch eine Seele innewohnt, und daran schliesst sich
unmittelbar die Annahme tierischen Bewusstseins. Wenn die
Hypothese somit sowohl alle Daten der inneren und äusseren
Erfahrung umfasst, ohne etwas künstlich hinzuzuergänzen, als
auch das Postulat nach der Realität zahlreicher unserem Bewusstsein analoger Seelen, so passt sie sich nun andererseits
aufs trefflichste allen Erfahrungen an über den Zusammenhang beider Erscheinungsreihen, den Konnex von Seele und
Körper. Über das Wesen dieses Zusammenhanges sagt die
Theorie in korrekter Beschränkung auf das Gegebene nichts
anderes aus, als dass die physische Erscheinung Bedingung ist
für die psychische. In der That ist dieser rein logische Ausdruck viel passender als jede Verbildlichung, besonders das
Bild eines parallelen Ablaufes beider Reihen führt nur zur
Verwirrung, denn auf der psychischen Seite läuft gar keine
Reihe ab; jede psychische Erscheinung ist vielmehr aufs neue
für sich physisch hervorgerufen; es liegt psychisch mithin nur
eine Reihe von isolierten Einzelthatsachen, keine innerliche
Entwicklung vor, von einem „Ablaufen der Erscheinungsreihe"
kann da also schwerlich die Rede sein. Noch mehr hüten
müssen wir uns hier vor dem Ausdruck, dass beide Reihen

demnach „identisch" wären. Identität kommt ihnen vielleicht im metaphysischen Sinne zu, nicht im psychophysischen; in Wirklichkeit sind äussere und innere Erfahrung vielleicht dasselbe, für die Empierie sind sie das, was sie zu sein scheinen, nämlich zwei Erscheinungsreihen. Am besten dürfte, wenn durchaus der logische Begriff veranschaulicht werden soll, die Vorstellung passen, dass die psychische Erscheinung die Innenseite des bestimmten Bewegungsvorganges darstelle; des bequemeren Ausdrucks halber werden wir uns an diese, hoffentlich nunmehr nicht misszuverstehende Bezeichnung halten.

Unsere psychophysische Theorie sagt also, dass von den unendlich mannigfaltigen Molekularvorgängen der Welt es eine Anzahl von materiellen Prozessen giebt, die unserem Bewusstsein nicht bloss äusserlich als Bewegung, sondern auch innerlich als Bewusstseinsinhalt gegeben sind. Wir können das ohne weiteres spezialisieren; kann doch kein Zweifel darüber sein, dass diese auch innerlich anschaubaren materiellen Vorgänge auf organische Körper und noch enger auf das Centralnervensystem beschränkt sind. Was im gesamten Weltall vorgeht, löst in uns niemals eine Empfindung aus, wenn es sich nicht in irgend eine Erregung unseres Nervensystems überträgt. Andererseits sahen wir, dass aller Seeleninhalt, den Willen eingerechnet, sich in letzter Linie aus Empfindungen aufbaut. Wir kommen daher zu dem Schluss, die Auslösung unserer Empfindungen, ihrem Inhalt, wie ihrer Kombination und Reihenfolge nach, ist bedingt durch die aus den Gesetzen der Materie notwendig erfolgenden Molekularvorgänge im Gehirn. Es ist bekannt, wie diese Annahme für diejenigen Empfindungen, welche wir Wahrnehmungen nennen, d. h. welche durch Gehirnerregungen bedingt sind, die mittelst der Sinnesorgane von der Aussenwelt hervorgerufen wurden, wie diese Annahme sich hier aufs glänzendste bewährt hat und die physiologische Psychologie der Sinnesvorstellungen zum bestentwickelten Teil der Psychophysik erhoben hat. Es gilt nun die als theoretisch notwendig erkannte Theorie auch festzuhalten für die Vereinigung der

physischen und psychischen Erscheinungen der Willenshandlung, für welche leider bisher stets die Voraussetzungen der
Sinneslehre willkürlich verschoben oder ganz aufgegeben worden
sind. Gerade umgekehrt kommt offenbar das Ergebnis unserer
physiologischen und unserer psychologischen Willensanalyse den
Voraussetzungen der psychophysischen Theorie in hohem Masse
entgegen. Wir hatten ja, wie jene Theorie es verlangt, die
körperliche Willenshandlung als eine lückenlose, den Kausal-
gesetzen der Materie ausnahmslos entsprechende Erscheinungsreihe gefunden, in der die einzelne Bewegung des sensorisch-
motorischen Apparates die notwendige Folge der Summe voraus-
gegangener Bedingungen war. Wir hatten andererseits, ebenfalls der Theorie entsprechend, die psychische Willenshandlung
sich bei der Analyse auflösen sehen in eine Reihenfolge von
Empfindungskomplexen, deren Zusammenhang empirischen Regeln, aber keinen denknotwendigen Axiomen folgte, also sehr
wohl durch eine fremde Kausalität, durch die Kausalität der
Materie bedingt gedacht werden kann. Die Frage lautet somit
einfach: welche Prozesse des materiellen Bewegungsvorganges
im sensorisch-motorischen Apparat ergeben innerlich angeschaut den Empfindungskomplex der Willenshandlung, spe-
zieller: welche Erregungen des Centralnervensystems
müssen ablaufen, damit die dabei innerlich auf-
tauchenden Empfindungen sich zur psychischen
Willenshandlung kombinieren? Welche materiellen Ge-
hirnprozesse müssen beispielsweise der Kontraktion meiner
Armmuskeln vorangehen, damit ich innerlich die Empfindung
habe, mein Wille hätte die Verschiebung der Körperteile
herbeigeführt?

In dieser Fragestellung liegt nun freilich schon die Voraussetzung, dass dem besonderen Bewegungseffekte auch eine besondere Erregung im Centralnervensystem vorangeht und nicht
etwa das Gehirn in seiner Gesamtheit jedesmal gleichmässig
thätig sei. Aber diese Voraussetzung ist offenbar nicht eine
Hypothese, etwa willkürlich ersonnen, um durch die Mannig-

faltigkeit besonderer Gehirnerregungen die Mannigfaltigkeit der
psychischen Wollungen erklären zu können, sondern diese Annahme ergab sich uns ja schon als notwendiger Schluss aus
der Betrachtung der Willenshandlung als Bewegungsvorgang.
Wenn jede gewollte Bewegung aus materiellen Ursachen erklärbar ist, so müssen zweifellos zwei verschiedenen Bewegungen
zwei verschiedene Gehirnvorgänge vorausgehen, denn wir erkannten im Gehirnprozess die Ursache der gewollten Muskelkontraktion und niemals können aus ein und derselben Ursache
unter dem gleichen Bedingungskomplex zwei verschiedene Wirkungen folgen. Im einzelnen lässt sich der Beweis für diesen
allgemeinen Schluss, dass die verschiedenen Bewusstseinsinhalte
bedingt sind durch verschiedene, ihrer Lokalisation nach be-
grenzte Bewegungsvorgänge, unmittelbar natürlich nur am Menschen erbringen; alle bezüglichen Untersuchungen am Tier
können das Psychische ja nur durch Analogie aus den Bewegungen erschliessen. Aber das klinische Beweismaterial be-
treffs des Menschen ist in der That weitaus hinreichend, um
zu beweisen, dass bestimmte psychische Elementarfunktionen
vorzugsweise von der Integrität bestimmt lokalisierter Teile abhängig sind. Ein Bluterguss, ein Tumor, eine Verletzung im
Gehirn verändert den Bewusstseinsinhalt des Menschen er-
fahrungsgemäss ganz verschieden, je nach der Stelle, die er
zerstört; und die topische Diagnostik der Gehirnerkrankungen
vermag oft mit überraschender Sicherheit aus dem Defekt des
Seeleninhaltes den Ort des pathologischen Prozesses zu erschliessen. Entschieden am interessantesten sind in der Beziehung die psychischen Sprachstörungen, die ganz regelmässig
auf bestimmt lokalisierte Zerstörung hinweisen. — Wenn die
Fähigkeit des Menschen, seine Beobachtung über das eigene
Innere zum Ausdruck zu bringen, dem klinischen Material ganz
besondere prinzipielle Bedeutung verleiht für die Entscheidung
dieser psychophysischen Vorfrage, so sind die Untersuchungen
am Tier dafür so unendlich durch das Experiment zu variieren
und an so zahlreichen Tierarten leicht zu wiederholen, dass

sie noch weit mannigfaltigeres Material für die cerebrale Lokalisation der psychophysischen Elementarfunktionen erbringen. Man hat bestimmte Teile des Hirns am lebenden Tier künstlich gereizt, sei es elektrisch, sei es chemisch, man hat einzelne Bezirke ausgeschaltet durch chemische Verhärtung, durch Zerstechen mit einem Schnäpper, durch Ausschneiden oder durch Ausspülen, man hat periphere Organe zerstört und die centralen Wirkungen bei der Sektion studiert: und immer hat man bestimmte Funktionen in Zusammenhang mit mehr oder weniger begrenzten Hirngebieten gefunden. Im selben Sinne sprechen offenbar die Ergebnisse der vergleichenden Anatomie; die mächtige Entwicklung der Zweihügel bei den Tieren mit bedeutender Sehleistung, die des Riechlappens bei den auf Witterung angewiesenen Tieren, die Proportion zwischen Vorderhirn und Intelligenz in der Wirbeltierreihe, alles ergänzt sich zu einem unbezweifelbaren Beweis dafür, dass die psychisch verschiedenen Erscheinungen die Innenseite von physisch verschieden lokalisierten Vorgängen sind.

Es, versteht sich von selbst, dass die mühsame, seit einem Decennium von allen Seiten unermüdlich betriebene Durchführung der erwähnten Methoden, besonders, neben der klinischen Beobachtung, die Reiz- und Exstirpationsversuche an Fröschen, Tauben, Kaninchen, Hunden und Affen nicht nur auf die Bestätigung jener allgemeinen These zielen, sondern die Untersuchung der Einzelheiten im Auge haben. Es gilt festzustellen, welche Gehirnteile für das Zustandekommen der verschiedenen seelischen Funktionen nötig sind; uns interessiert natürlich speziell die Frage, welcher Gehirnerregung die psychische Willenshandlung entspricht.

Leider stehen wir hier nun vor der Thatsache, dass die Klärung der Ansichten mit der Ansammlung planvoller Beobachtungsresultate doch nur wenig zugenommen hat. Hier tritt es ja vor allem auf physiologischer wie auf psychologischer Seite hervor, dass man getrost der Seele aufbürdet, was nicht körperlich sich erklären lassen will, und

andererseits in unerklärtem Körpermechanismus
sucht, was man nicht in der Seele findet, jener Zustand der Wissenschaft, der uns zu der getrennten Prüfung
von körperlicher und seelischer Willenshandlung veranlasste.
Aber nicht nur die psychophysischen Theorien sind noch immer
Gegenstand lebhaften Streites, sondern auch die physiologischen
Vorgänge für sich sind eigentlich heute umstrittener als vor
zehn Jahren. Damals als die epochemachenden Beobachtungen
von HITZIG über Muskelkontraktion an der gekreuzten Seite
bei elektrischer, streng lokalisierter Hemisphärenreizung die
allgemeine Aufmerksamkeit auf sich zogen, als die ersten Versuche besonders von MUNK und von FERRIER den ungeteilten
Beifall der Pathologen fanden, schien alles einer einheitlichen
Deutung der Resultate entgegenzugehen. Seitdem hat aber
die zuerst weniger beachtete Opposition von GOLTZ immer
mehr Zustimmung gefunden, immer energischer wurde die Kritik
an den Versuchen der MUNK'schen Schule, und heute stehen
eigentlich die Physiologen ihrer Mehrheit nach näher zu GOLTZ
als zu MUNK, dem dagegen die meisten Kliniker folgen. Zu
diesen durch eine kontinuierliche Reihe verbundenen, extremen
Gegensätzen der Beobachtungsresultate kommen nun die mannigfachen Nuancierungen der psychophysischen Auffassungen; wo
die Erscheinung selbst übereinstimmend berichtet wird, gewinnt
sie bei MUNK, MEYNERT, SCHIFF, GOLTZ, EXNER u. a. jedesmal eine ganz verschiedene Bedeutung. Wir können hier
natürlich nicht auf die Einzelheiten jener Theorien eingehen.
Wir dürfen nur in flüchtigem Überblick auf ein paar Punkte
hinweisen, die uns bestimmen, in keiner der vorliegenden Theorien einen zufriedenstellenden Ausdruck der Thatsachen zu
finden. Es muss daher genügen, einige der Haupttypen der
heute sich gegenüberstehenden Anschauungen zu erwähnen.

Der Ausgangspunkt war ursprünglich stets die Thatsache,
dass Elektrodenreizung bestimmter Rindengebiete beim Hund
und anderen Säugern gewisse Extremitätenbewegungen hervorrief und nach Ausschneidung der betreffenden Rindenstellen

8*

sich Störungen in der freien Bewegung der betreffenden Glied-
massen herausstellten. Nur wenige Naturforscher aber blieben
bei der Konstatierung dieser Thatsache stehen. Hier und da
begnügte man sich zwar mit dem Ausdruck „motorische Rindenfelder", ein Ausdruck, der keiner Theorie präjudizierte, sondern nur aussagte, dass jene Stellen in Beziehung zur Bewegung stehen; meist aber sprach man mit wachsender Ge-
wissheit von „motorischen Centren", voraussetzend, dass in
jenen Stellen normalerweise der centrale Ausgangspunkt des
physiologischen Bewegungsimpulses zu suchen sei. Da man
auf jede psychologische Analyse des Willens verzichtete, jeder
Physiologe vielmehr für den Hausgebrauch genug Psychologie
bei der „Selbstbeobachtung" vorfand, so war natürlich mit der
Annahme motorischer Centren auch die psychophysische Theorie
schnell fertig. Die motorischen Centren mussten diejenigen
Stellen sein, auf welche der Wille einwirkt, welche der Wille
erregt, damit sie den Körper in Bewegung setzen. Da man
sich aber scheute, den Willen als Abstraktum ohne materielles
Substrat in der Luft schweben zu lassen, so lag kein Schluss
näher als der, dass in jenen Centren selbst das physiologische
Correlat des Willens für die Bewegung der Glieder gegeben
sei. So wie also die Thätigkeit gewisser Hirngebiete uns innerlich eine Seh- oder Schall- oder Geschmacksvorstellung auslöst,
wie die Verbindung von Empfindungskomplexen an lokalisierte
Bahnen geknüpft ist, so ist, dachte man sich, die Erregung
jener motorischen Centren uns innerlich als Willensimpuls gegeben. Die einen Teile des Gehirns dienen demnach dem
Wahrnehmen, dem Vorstellen, dem Denken, andere dienen dem
Willen. Weshalb gerade im bestimmten Moment das Centrum
für das Vorderbein und nicht das für das Hinterbein erregt,
also gerade jene Bewegung gewollt wird, das blieb freilich
doch wieder einem Willen höherer Instanz überlassen, für den
ein lokalisiertes Centrum nirgends mehr übrig war und auch
kaum anzunehmen war, da doch dieselbe Erregung desselben
Teiles nicht bald für dieses bald für jenes Ursache sein kann.

Die Frage, weshalb gerade dieses und nicht jenes Centrum in Thätigkeit gesetzt wurde, blieb somit physiologisch unbeantwortet, man überliess die Antwort der Psychologie; dass, sobald eines jener Centren erregt, dadurch der betreffende spezielle Willensakt ausgelöst wurde, genügte für die oberflächliche Deutung der Versuche und der klinischen Fälle. Die grosse Lücke, die bezüglich der Ursachen centraler Willenserregung in der mechanischen Kausalreihe dadurch entstand, liess natürlich kleinen Variationen der Anschauung bequemen Spielraum; so wurde der psychische Willensimpuls für die spezielle Erregung besonders bei den Pathologen der Thätigkeit des Centrums bald mehr bald weniger vorausgehend gedacht, um das Auftreten des Innervationsgefühles bei zerstörtem Centrum und gelähmtem Gliede erklären zu können; im allgemeinen aber blieb es dabei, dass jene Centren Sitz für die speziellen Willensanregungen seien. Ohne Übertreibung lässt sich nun behaupten, dass gerade diese Anschauung in denjenigen Kreisen, welche überhaupt zur Rücksichtnahme auf physiologische Untersuchungen geneigt sind und in der Willenshandlung nicht nur ein metaphysisches, sondern auch ein psychophysisches Problem erblicken, noch heute die im allgemeinen herrschende ist. So sehr auch einzelne Forscher mit ihren Schülern sich von dieser Deutung der Versuche getrennt, so blieb sie allein doch gewissermassen populär in der Wissenschaft, obgleich ihr wahrlich genügend deutlich der Stempel des Unzureichenden aufgeprägt ist. Es ist unmöglich, im Rahmen unserer Skizze die empirische Basis dieser Theorie, die einzelnen Versuche und Abgrenzungen darzustellen; wir müssen also auch darauf verzichten, die Berechtigung der einzelnen Lokalisationen hier irgendwie zu prüfen. Auch die naheliegenden an die Versuche selbst anknüpfenden Einwürfe, dass ja beim Hundeexperiment die nach der Exstirpation eintretende Bewegungsstörung sich bald wieder in hohem Masse ausgleicht, dass alle Reizungsergebnisse zusammen lange nicht der Mannigfaltigkeit möglicher Bewegungen entsprechen, und anderes derart, wollen wir vorläufig beiseite lassen. Uns liegt hier nur daran, auf die prinzipiellen Irrtümer bezüglich des Willens hinzuweisen. Dass die Erregung des motorischen Centrums selbst ohne materielle Ursache bleibt, haben wir schon erwähnt; es ist nach jener landläufigen Theorie nicht im Geringsten einzusehen, warum auf die Hirnerregung, die uns innerlich als Gesichts- oder Gehörsvorstellung gegeben ist, gerade die Erregung eines bestimmten motorischen Centrums folgen soll. Der Wille, der auf Grund der Gesichts- oder Gehörsmotive handelt, ist ja erst in dem betreffenden Centrum selbst lokalisiert; er tritt in jedem einzelnen Falle also ursachlos, spontan auf, obwohl er Kenntnis von allen sensorischen Erregungen besitzen muss, da er ihnen angepasst ist. Von grösserer Wichtigkeit ist uns ein zweites: jene Theorie fusst auf der Annahme einer Willenserscheinung, wie sie niemals in der Erfahrung gegeben ist. Wir können hier nicht unsere eingehende Beweisführung und Analyse wiederholen, wir stützen uns hier nur auf ihr Ergebnis, das allen psychischen Willensformen gerecht zu werden suchte und doch im Willen niemals etwas Besonderes, Eigenartiges fand, sondern lediglich eine Kombination von Empfindungen, koordiniert den Empfindungen der Wahrnehmung und Erinnerung. Die Auffassung des Willens als spezifischer Impuls, gewissermassen als Stoss, als Thätigkeit, im Gegensatz zum passiven Erlebnis der Vorstellung, mag ja ganz anschaulich sein, wenn man Bewusstseinsthatsachen sich räumlich vorstellen will; die Analyse des wirklich Gegebenen aber zeigte uns, dass zwischen die Vorstellung des Effektes und die Wahrnehmung desselben, respektive zwischen die peripher ausgelöste Bewegungsempfindung und die vorher reproduzierte Erinnerungsvorstellung derselben sich nichts, absolut nichts psychisch dazwischen schiebt. Wenn also die Vorstellungen, die Wahrnehmungen und ihre Erinnerungsreproduktionen auf die sensorischen Teile des Gehirns beschränkt sind, was soll denn da psychisch der Erregung des motorischen Rindengebietes entsprechen? Der

Wille ist ein Empfindungskomplex; er ist somit an die
sensorischen Centralteile, d. h. an diejenigen, deren
Reize peripher ausgelöst und centripetal geleitet
werden, gebunden. Die Funktion jener postulierten motorischen Centren, deren Erregung dem Willensimpuls entspricht, soll aber nur die Aussendung centrifugalen Impulses
sein. Die Annahme, dass jene Rindenfelder, deren Reizung
Bewegung auslöst, motorische in dem Sinne seien, dass ihrer
Erregung keine Empfindung, sondern der psychische Willensakt entspricht, ist mithin widerspruchsvoll; die psychologische
Analyse allein, von den anderen Einwänden abgesehen, macht
jene Hypothese geradezu unmöglich.

Betrachten wir die über diese nächstliegende Deutung sich
erhebenden Theorien wiederum vom Standpunkte der Willenslehre, so sehen wir sie hauptsächlich nach zwei Richtungen
auseinandergehen. Die einen wenden sich vor allem gegen
die strenge Lokalisation der Funktionen; es ist die Schule
von GOLTZ. Die anderen halten zwar daran fest, dass die
Bewegung nur von bestimmtem Centrum her ausgelöst wird,
meinen aber, dass der Erregung jenes Centrums psychisch
nicht ein Impuls, sondern eine peripher ausgelöste Vorstellung
entspricht, die ihrerseits erst die Bewegung reflektorisch hervorruft; besonders MUNK und SCHIFF haben diese Auffassung
in zahlreichen Arbeiten vertreten.

Die Verdienste von GOLTZ um die Grosshirnphysiologie
lassen sich hier natürlich nicht würdigen. Er hat ja zuerst,
um nur ein paar Punkte anzudeuten, die Störungen im sensorisch-motorischen Leben der Versuchstiere nach Exstirpation
von Hemisphärenteilen systematisch in vorübergehende und
dauernde getrennt; er hat, durch seine vorangegangenen Untersuchungen über die Hemmung der Rückenmarksreflexe geleitet,
zuerst die vorübergehenden Störungen auf Hemmungen zurückgeführt, hat jene interessanten Zustände der Hirnsehschwäche
und Hirnhörschwäche entdeckt und hat vor allem zuerst vor
übereilten Schlüssen aus den Reizungsversuchen gewarnt. Er

selbst legt offenbar auf den letzten Punkt das grösste Gewicht;
das Veto gegen die Annahme eng umgrenzter motorischer und
sensorischer Rindenfelder, gegen die „Landkartenzeichnung"
auf der Grosshirnrinde ist in der That der Grundgedanke aller
seiner Arbeiten. Natürlich soll nicht etwa der ganze Centralapparat des Nervensystems in seiner Gesamtheit unterschieds-
lose Leistungen vollziehen; im Gegenteil die auf Rückenmark,
auf Kleinhirn, auf Zwischen- und Mittelhirn streng begrenzten
Funktionen hat gerade GOLTZ eingehend studiert. Doch das
Tier mit den subkortikalen Centren ist eine fressende, trinkende,
gehende, kletternde, springende Reflexmaschine; es fehlt ihm
Intelligenz und bewusster Wille, und eben diese beiden Funktionen, aufs engste zusammengehörig, sollen nicht, je nach
dem Inhalt ihres Objektes, verschiedenen Regionen entsprechen,
sondern der Grosshirnrinde in ihrer Gesamtheit zugehören.
Freilich blieb auch er bei dem Ergebnis seiner ersten Untersuchungen, dass der Ort des Substanzverlustes überhaupt von
keinem entscheidenden Einfluss sei[1]), nicht genau stehen, sondern gab später zu, dass im allgemeinen die vorderen Quadranten
der Grosshirnrinde eine innigere Beziehung zu den Bewegungen
des Körpers und zur Hautempfindung haben, als die hinteren
Quadranten[2]). Aber diesem scheinbaren Zugeständnis an die
Lokalisationstheorie fügte er schon damals die Einschränkung
hinzu und hat seitdem daran festgehalten, dass eine wirkliche
Funktionsdifferenz der Rindenteile, geschweige eine engere Begrenzung, etwa im MUNK'schen Sinne, daraus noch nicht gefol-
gert werden darf, die grössere Bewegungsstörung nach Verletzung des vorderen Teiles vielmehr darauf beruhen mag, dass
dort eine grössere Zahl von impulsleitenden Fasern sich
zusammendränge. Dass nämlich der Impuls zu einer bestimmten Bewegung auch im Grosshirn schliesslich in bestimmter
einzelner Bahn verläuft, bestreitet GOLTZ nicht, nur der Wille
und die intelligente Erwägung, aus welcher der Wille entspringt,

---

[1]) GOLTZ: Über die Verrichtungen des Grosshirns. S. 9.

[2]) A. d. O. S. 164.

soll der ganzen Hemisphäre zugehören. GOLTZ stützt sich
darauf, dass bei lokalisierter Zerstörung auf einer Seite das
allmähliche Schwinden der vorübergehenden Empfindungs- und
Bewegungsstörung nicht dadurch entstehen kann, dass die entsprechenden Teile der anderen Seite die Funktionen übernehmen, denn die nachträgliche Zerstörung jener ruft nicht
die geschwundenen Defekte wieder aufs neue hervor. Sollen
aber andere Teile derselben Hemisphäre die Funktion eines
lädierten Centrums übernehmen, dann ist offenbar damit die
Theorie der Lokalisation aufgegeben; dieselbe Hirnstelle vermag dann mehrfacher Leistung zu dienen, falls Zerstörung
bestimmter Teile wirklich keinen Körperteil unbeweglich oder
unempfindlich macht. Dieses ist die Grundthatsache, auf der
GOLTZ aufbaut. Wenn er erhebliche Teile der Hemisphäre
an den verschiedensten Stellen ausgespült, so war, nach einiger
Zeit, kein Glied absolut gelähmt und keines absolut unempfindlich. Dagegen war die Intelligenz bedeutend verflacht und
der Wille wurde eben zum Willen eines blödsinnigen Tieres.
Der Hund sah und hörte und fühlte und machte dem entsprechende, selbst komplizierte, Reflexbewegungen, aber er ver-
stand offenbar nicht mehr wie sonst den Sinn der Eindrücke,
die auf ihn wirkten, und die Bewegungen waren demnach „tölpel-
haft“. Wir müssen also die Fälle ausschalten, wo nach frischer
Verwundung durch Zerstörung von Leitungsbahnen der Wille
unfähig war, seinen Willen auszuführen, wo der Hund zu erkennen gab, dass er den Befehl des Herrn verstanden und die
beste Absicht hatte die Pfote in gewohnter Weise zu reichen,
nur unfähig war, sie zu heben. Alle übrigen Fälle aber erklären
sich, nach GOLTZ, einfach so, dass vorübergehende Störungen
von der durch die Verwundung geschaffenen Hemmung bedingt
sind, die bleibende Störung aber durch Schwächung von Intelligenz und Wille hervorgerufen, die an alle Hemisphärenteile
gleichmässig gebunden und daher abnehmen in Proportion zur
zerstörten Masse. Das Tier, dem nur ein kleiner Teil übrig
geblieben, nimmt noch alles wahr und kann noch alles wollen,

aber es ist blödsinnig; seine Intelligenz und sein Wille sind zusammengeschrumpft gleich seinen Halbkugeln im Schädel. — An diesem Punkte, meine ich, hat nun die psychologische Kritik mit ernstem Bedenken einzusetzen. Die Intelligenz verflüchtigt sich nach dieser Theorie zu einem über den Vorstellungen schwebenden Abstraktum, das seine logische Bedeutung besitzt, aber psychologisch nicht existiert; und ebenso gelangt der Wille zu einer Allgemeinheit, die für ethische Betrachtungen ihren Zweck hat, aber in der inneren Erfahrung nirgends gegeben ist. Goltz sagt, die Intelligenz kann in ungetrübter Kraft fortbestehen, wenn auch ein Teil der Sinnesvorstellungen fortgefallen ist; es kommt nur darauf an, dass die Wahrnehmungen gedanklich zu einem zweckmässigen Handeln verwertet werden. Betrachten wir nun aber einmal näher, worin eigentlich diese gedankliche Verwertung psychologisch besteht, worin die Bewusstseinsvorgänge des nur wahrnehmenden von dem intelligenten Tier sich unterscheiden. Ich glaube, der Unterschied lässt sich dahin zusammenfassen, dass ersteres nur diejenigen Reizquellen berücksichtigt, welche in dem Moment auf seine Sinnesorgane wirken, das intelligente Tier dagegen durch alle Eindrücke bestimmt wird, welche früher irgend einmal auf sein Hirn eingewirkt haben; indem die Wahrnehmungen des Momentes die Vorstellungen hervorrufen, welche sich auf die mit dem gesehenen Objekt in früherer Erfahrung zeitlich oder räumlich verknüpften Reize beziehen, passt das intelligente Tier sein Handeln nicht nur dem unmittelbar vorliegenden Reizkomplex, sondern den sich daraus ergebenden Folgen, kurz einem grösseren Bedingungskreise an. Während auch das Tier mit zerstörten Hirnteilen das Stück Fleisch noch sieht, verbindet sich ihm damit nicht die Vorstellung der früheren Erfahrung, wie solch Fleischstück fressbar, welchen Wohlgeschmack es ihm auslöste, wie es durch einen Sprung erwischt werden kann; selbstverständlich muss daher auch die aus jenen Vorstellungen unmittelbar sich ergebende normale Bewegungsreaktion vollständig unterbleiben. Neuerdings tauchte in der GOLTZ'schen Schule freilich die scheinbar treffendere Deutung auf, dass es sich dabei um eine Erhöhung der Reizschwelle handle [1]). Dem widersprechen aber mit entscheidender Kraft die überaus interessanten klinischen Erfahrungen [2]); es ist eine Reihe von Fällen bekannt, wo Menschen plötzlich in gewissen Gebieten der Sinneswahrnehmung alle Erinnerungsvorstellungen verloren, die Strassen der Stadt, die Gesichter der Nächsten, ihr eigenes Spiegelbild nicht wiedererkannten, ohne dass die Reizschwelle ihres Bewusstseins irgendwie erhöht war. Sie handelten dementsprechend unzweckmässig, genau wie jener operierte Hund sich zu dem Fleischstück verhielt. In der That ist nämlich zwischen der Intelligenz des Menschen und des Tieres der Unterschied zwar riesenhaft, aber nur quantitativ; wir müssen nur immer von der logischen Bedeutung abstrahieren und uns auf das psychologische Geschehen beschränken. Psychologisch ist ein Schluss nur das Bewusstwerden einer neuen komplexen Vorstellung, deren Elemente sich nicht unmittelbar, sondern erst durch zahlreiche, oft unendlich zahlreiche Zwischenglieder auf räumlich-zeitlichen Zusammenhang zurückführen lassen; und das gilt selbst für unsere höchste Funktion, das begriffliche Denken, da ja auch der Begriff psychologisch stets durch eine einzelne Vorstellung vertreten wird. Das intelligente Geschöpf, Tier oder Mensch, bewährt somit darin seine Intelligenz und handelt deshalb zweckmässig, weil sich ihm mit den Reizempfindungen des Momentes aus dem Schatz der Erinnerung diejenigen Vorstellungen verbinden, die durch nähere oder entferntere Beziehung mit jenen in Verbindung stehen; nur ist der Vorstellungsvorrat des Tieres auf die Erfahrungen in der Sphäre seines Leibes, seiner Sinnesorgane beschränkt, während der Mensch, hauptsächlich durch die Association von Sinnesobjekt mit Wort und Schrift, also mit Schall- und Lichtreiz

---

[1]) LOEB: Beiträge zur Physiologie des Grosshirns, im Archiv f. d. gesamte Physiologie. Bd. 39. S. 276.

[2]) WILBRANDT: Die Seelenblindheit als Herderscheinung. 1887.

zu einer unendlichen Mannigfaltigkeit der Erfahrung gelangt, welche das räumlich und zeitlich Entfernteste, niemals seiner direkten Wahrnehmung Zugängliche umfassen kann. Die Intelligenz des Hundes, der seinen Herrn, der das Fleischstück und die Peitsche erkennt und danach handelt, und die Intelligenz des Kulturmenschen, der die ganze Erde, der die Geschichte und die Naturgesetze, der die Folgen seiner Thaten und die Handlungen seiner Mitmenschen aufs genaueste kennt und erwägt und der dem überaus mannigfaltigen Reizcomplex entsprechend mit überaus komplizierten Handlungen reagiert: beide beruhen somit lediglich auf der associativen Ergänzung der Wahrnehmung mit früher erfahrenen Vorstellungen, derart, dass die Bedingungssumme der nothwendig erfolgenden Körperreaktion, der Wirklichkeit entsprechend, über den Kreis der momentan auf die Sinnesorgane wirkenden Reize hinaus mehr oder weniger erweitert wird. Eine Intelligenz, welche unabhängig von der Erinnerung thätig ist, eine Intelligenz, welche noch eine einzelne Vorstellung zu „bearbeiten" vermag, um auf Grund ihrer Resultate die passende Bewegungsreaktion auszuwählen, die existiert weder im Menschen- noch im Tiergehirn. Was von der allgemeinen Intelligenz gilt, hat nun in noch höherem Masse für den allgemeinen, dem ganzen Hirn zukommenden Willen Bedeutung; unsere frühere Analyse hat das eingehend dargethan. Es giebt eben im Bewusstsein keinen für jeden Inhalt gleichförmigen Willen, sondern nur unzählige einzelne Wollungen, die sich aus einzelnen Erinnerungsvorstellungen und Wahrnehmungen zusammensetzen. Wie GOLTZ nun aber nicht annimmt, dass eine einzelne Lichtempfindung im normalen Leben erst dann zu stande kommt, wenn das gesamte Hirn in Erregung ist, das gesamte Hirn vielmehr erst bei der intelligenten Verwertung der Lichtempfindung in Thätigkeit versetzt wird, so kann er nun auch nicht annehmen, dass derjenige Empfindungskomplex, den wir als Willen erkannten, im einzelnen Fall die ganzen Hemisphären erregt; Funktion des Gesamtorgans und daher beschränkt durch Verkleinerung desselben ist mithin nur

jener allgemeine, aus den Einzelwollungen abstrahierte Wille,
der in Wirklichkeit psychologisch ebenso wenig existiert, wie jene
abstrakte Intelligenz. Somit hat GOLTZ, wenn er die Haupt-
tendenz seiner gegen die Lokalisationslehre gerichteten Arbeiten
darin sucht, das Wiederaufleben der alten GALL'schen Anschauungen zu vereiteln, doch eigentlich nur den einen Fehler der Phre-
nologen, die unzureichend begründete Lokalisation, vermieden und
bekämpft; den anderen Fehler aber, die unberechtigte Annahme
von der Wirklichkeit allgemeiner seelischer Vermögen, wie Intelligenz und Wille, die in Wahrheit nur mehr oder weniger will-
kürliche Verallgemeinerungen eines Kreises empirischer Einzel-
erscheinungen sind, hat er nicht nur nicht vermieden, sondern
geradezu zum Prinzip seiner Theorie erhoben, auch wenn man
von seiner, noch stärker an GALL erinnernden Annahme niederer Vermögen, wie eines Ortfindungsvermögens [1]) u. a. absieht.
Die geistvollen Arbeiten von GOLTZ können in ihrer eminenten
physiologischen Bedeutung dadurch natürlich nicht an Wert ver-
lieren; als psychophysische Theorie aber müssen wir sie entschieden ablehnen wegen der unmöglichen psychologischen Annahmen.

Gerade das Gegenstück bieten die Theorien von MUNK und
SCHIFF; sie hüten sich ängstlich vor unberechtigter psycho-
logischer Verallgemeinerung, vertreten aber energisch die strenge
Lokalisation der psychophysischen Funktionen. Hierher gehört
natürlich nicht die Darstellung und Kritik der experimentellen
Untersuchungen, durch welche MUNK und SCHIFF, ähnlich wie
FERRIER, HITZIG, NOTHNAGEL, EXNER, PANETH, BECHTEREW,
LUCIANI, TAMBURINI u. a. zur Annahme eng umschriebener
Rindenfelder gelangt sind; uns interessieren wieder nur die
Hauptpunkte der psychophysischen Deutung. MUNK hält, um
es mit einem Wort zu sagen, die Funktion der Rinde für sen-
sorisch, derart dass jede neue Wahrnehmung sich als Vorstellung
in einer Ganglienzelle ablagert[2]); so sind konstante Teile der

---

[1]) A. a. O. S. 67.

[2]) MUNK: Über die Funktionen der Grosshirnrinde. Über die
Stirnlappen des Grosshirns. 1882. u. a.

Rinde für den Sehnerv im Hinterhauptlappen, für den Hörnerv im Schläfenlappen, für den Riechnerv im Gyrus uncinatus reserviert, und mit noch viel genauerer Abgrenzung ist die meist durch gerade Linien eingeteilte obere Konvexität der Hemisphären den peripher ausgelösten Gliederempfindungen gewidmet. Vorderbein und Hinterbein, Rumpf und Nacken, Schutzapparat von Auge und Ohr, jedes hat seine bestimmte Rindenstelle, in welche es Tast-, Druck- und Muskelreize fortleitet und dort Tast- und Bewegungsvorstellungen erzeugt. Nur Vorstellungen werden daher auch bei der elektrischen Rindenreizung hervorgerufen, und diese Vorstellungen lösen dann ihrerseits die Bewegungen aus, ebenso wie im normalen Leben jeder wahrgenommene Reiz mittelst der Anschauung die zugehörigen Erinnerungsvorstellungen wachrufen und diese die Bewegungsreaktion bewirken sollen. Die meisten Angriffspunkte für die psychologische Kritik bietet hier nun offenbar die geradezu ins Absurde führende Auffassung bezüglich der Aufspeicherung von Erinnerungsbildern in den einzelnen Zellen, eine Auffassung, die nirgends prägnanter hervortritt als bei dem Bericht über einen am Occipitalhirn operierten Hund, dem die Gesichtserinnerungsvorstellungen zum grössten Teil ausgeschnitten wurden, dem aber aus Zufall die Zelle, welche das Bild des Eimers und die, welche das Bild der Peitsche enthielten, stehen geblieben waren, so dass der Hund Peitsche und Eimer richtig wiedererkannte. Natürlich steckt in der Zelle nicht der Begriff Eimer, sondern die Vorstellung eines bestimmten, so dass für jede Eimergrösse und jede Eimerfarbe wieder je eine neue Zelle nötig ist, und würde der Eimer in verschiedene Teile zerlegt, so würde jeder Teil wieder einen besonderen Gangliensitz beanspruchen können. Der erhobene Einwand, dass zur Durchführung der MUNK'schen Idee die Ganglienzahl überhaupt bei langem Leben nicht ausreichen würde, ist nicht gerade tief; einerseits wäre daran zu erinnern, dass die Zellenzahl der Rinde auf rund tausend Millionen berechnet ist, andererseits, dass in der That uns fortwährend Erinnerungsvorstellungen entschwinden. Ebenso wenig scheint der entgegengesetzte Einwand stichhaltig, den GOLTZ erhoben; er meint, das Gehirn könne nicht mit einem Überschuss an Zellen angelegt sein. In der That muss MUNK von dieser Annahme Gebrauch machen, da doch unmöglich jedes Tier zufällig gerade so viel Vorstellungen sammeln wird als Zellen vorhanden; ja diese Annahme hat für ihn um so mehr Bedeutung, als er dadurch es erklärt, wie ein Tier, dem die Sehsphäre so exstirpiert, dass es keine Gesichtswahrnehmungen wieder erkennt, allmählich doch sich wieder orientieren lernt; es sammelt eben neue Erinnerungsbilder in den angrenzenden, den Defekt umgebenden Teilen. So unmöglich ist nun aber die Annahme solches Überflusses durchaus nicht, denn die Natur vergeudet ihren Stoff unendlich oft, um ihr Ziel zu erreichen. Sie schafft Millionen Samenzellen, damit eine vielleicht der Erhaltung der Gattung dient; weshalb soll sie nicht auch Millionen Ganglienzellen schaffen, damit auch nur ein Teil von ihnen der Erhaltung des Individuums dient? Die Unmöglichkeit der MUNK'schen Vorstellung liegt überhaupt nicht auf physiologischem Gebiet, sondern auf psychologischem. Psychologisch ist die Annahme, dass die Vorstellungen gewissermassen in ein Zellengefängniss eingeschlossen sind, absolut unhaltbar. Wir dürfen nie vergessen, dass der Vorgang des Vorstellens stets ein in hohem Masse komplexer ist und dass die Erregung eines physiologisch einfachen Gebildes wohl als Bedingung eines psychischen Elementarphänomens, nie aber als Bedingung einer Vorstellung gedacht werden kann. Die WUNDT'sche Kritik in der „Physiologischen Psychologie" hat diesen Punkt so klargestellt, dass jedes Eingehen darauf nur Wiederholung sein könnte. — Übrigens hat MUNK selbst ein ganz fremdes Moment in seine sonst einheitliche Darstellung hineingebracht, indem er die räumliche Ordnung der die Vorstellungen enthaltenden Zellen nicht nur von der Reihenfolge der Wahrnehmung abhängig sein liess, sondern, freilich durch mannigfaltige Experimente veranlasst, auch die Stelle der Netzhaut bestimmend einwirken liess. Die

Bilder im gelben Fleck sollen in der Mitte der psychooptischen
Rindenstelle sich ablagern, die Bilder der Seitenteile ringsum.
Demnach müsste jedes Netzhautelement seine eigene Auf-
speicherungsstätte besitzen; das Bild desselben Eimers also in
so viel Zellen vertreten sein, als Netzhautteile waren, auf denen
er sich abgebildet. — Verschiedenartiger ist der Charakter jener
Vorstellungen, die in den Gliedercentren sich ansammeln können;
die scharfe Abgrenzung bezieht sich da nur auf die einzelnen
Regionen des Körpers, innerhalb dieser leiten die verschiedensten sensiblen Nerven ihre Eindrücke zu jener Stelle. Druck-
empfindungen, Tastempfindungen und Lagevorstellungen, resp.
Muskelempfindungen sammeln dort sich an, derart dass bei
Exstirpationen oft nur die Tastvorstellungen, erst bei noch
grösseren die Lagevorstellungen, und nur bei den grössten,
den ganzen Bezirk umfassenden, die Druckvorstellungen dauernd
verloren gehen, während bei kleineren Substanzverlusten zuerst
auch alle drei Kategorien fehlen, dann aber bei der Restitution
zuerst die Druck-, dann die Lage- und endlich die Tastvorstellungen dauernd wiederkehren. Wie kommt nun aber
durch diese sensorischen Funktionen der Hemisphären die Bewegung, die Willenshandlung zu stande?

An diesem Punkte zweigt sich die Schiff'sche Theorie
von den Munk'schen Anschauungen ab. Schiff, der, wie schon
früher erwähnt, die Tastempfindung für die Grundlage der Bewegungsvorstellung hält, sieht in der Erregung des Tastgefühls
die positive Bedingung der Bewegung; die Exstirpation der
dem Vorderbein zugehörigen Hirnzone entspricht in ihren das
Bein lähmenden Folgen daher der Wirkung, welche die Zer-
schneidung der den Tastreiz zum Hirn leitenden Rückenmarks-
bahnen hervorruft. Die Tastempfindung eines Gliedes soll nun
die Ursache sein für die Bewegung desselben; er selber konnte,
als er bei Karoditenkompression das Tastgefühl in den Händen
verlor, den Federhalter nicht mehr festhalten, und bekannt ist
der Zusammenhang zwischen pathologischem Tastgefühldefekt
und Bewegungsunsicherheit. Nur nebenbei sei bemerkt, dass

SCHIFF die erregbaren Stellen der Rinde gar nicht für Centren hält, da nach ihm weder ein Centrum noch eine motorische Bahn künstlich gereizt werden kann, vielmehr nur den natürlichen Reiz weiter leitet. Die reizbaren Stellen wären somit die centripetalen Bahnen des Tastsinns, dessen Centrum demnach tiefer liegt, nicht an der Rinde[1]). Dass letzteres wohl nicht haltbar ist, beweisen die Versuche von EXNER und PANETH, welche die Umschneidung und Unterschneidung der elektrisch gereizten Stellen einführten[2]). Wenn ein Elektrodenreiz bei zirkulärer Umschneidung eines kleinen Bezirks die Bewegung auslöst, bei ganz flacher Unterschneidung desselben aber wirkungslos bleibt, so muss das bewegungsauslösende Gebilde doch die oberflächliche Ganglienschicht, nicht ein tiefer unten hinziehendes Bündel weisser Leitungsfasern sein. Aber auch gegen die experimentelle Basis der SCHIFF'schen Annahme, dass die Tiere, welchen die excitable Zone exstirpiert, ihres Tastgefühls verlustig gegangen, sind erhebliche Einwendungen von GOLTZ, BECHTEREW[3]) u. a. begründet ausgesprochen. Abstrahieren wir wieder von den physiologischen Bedenken und halten uns an die psychophysische Deutung. Wie soll gerade die Tastvorstellung, selbst wenn sie fälschlich identifiziert wird mit der gesamten peripher von Haut, Muskeln, Gelenken zusammen ausgelösten Bewegungsvorstellung, dazu kommen, die Ursache aller willkürlichen Bewegung zu werden? Wie soll das Fehlen der Tastvorstellung in der Extremität bewirken, dass dieselbe wohl reflektorisch beim Gehen und Klettern verwertet, dagegen bei keiner willkürlichen Bewegung benutzt werden kann. Man hat ja freilich lange an dem schweren

---

[1]) SCHIFF: Über die Erregbarkeit des Rückenmarks, im Archiv f. d. gesamte Physiologie. Bd. 30. — SCHIFF: Untersuchungen über d. motor. Funktionen des Grosshirns, im Arch. f. exp. Pathologie. Bd. 3.

[2]) PANETH: Die absoluten motorischen Felder auf der Hirnoberfläche des Hundes, im Arch. f. d. ges. Physiologie. Bd. 37.

[3]) BECHTEREW: Die Erscheinungen nach Zerstörung des motor. Rindenfeldes, im Arch. f. d. ges. Physiologie. Bd. 35.

klinischen Irrtum festgehalten, dass das Fehlen der Bewegungsempfindung die Ursache der tabischen Ataxie sei, bis Erb
bewies, dass die Muskelanästhesie und die Koordinationsstörung
ohne die geringste Proportion, ja dass nicht nur Anästhesie
ohne Ataxie, sondern selbst Ataxie ohne Anästhesie vorkäme,
die ataktischen Erscheinungen also durch Zerstörung motorischer, nicht sensorischer Bahnen bedingt sein müssen. Ganz
abgesehen also davon, dass die Tastempfindung noch keine
Bewegungsvorstellung ist, hat man die Wirkung ihres Fehlens
auf eine gewisse Unsicherheit und Ungeschicklichkeit der Bewegung einschränken müssen und konnte die Ataxie nicht
daraus erklären; um wie viel weniger also kann die Tast-
anästhesie ausreichen, das vollständige Fehlen jeder willkürlichen
spontanen Bewegung begreiflich zu machen. Das Fehlen von
Tastempfindungen kann uns das Ausbleiben derjenigen Bewegungen verständlich machen, welche reflektorisch nur durch
äussere Tastreize gewohnheitsmässig ausgelöst werden. Erstens
aber sind gerade Tastempfindungen wenig dazu angethan,
charakteristische Reaktionen zu ergeben, zweitens sind die
Tastreizquellen doch auch anderen Sinnen zugänglich. Weshalb
löst das Gesichtbild der betastenden Hand nicht ebenso die
Bewegung aus? Weshalb fallen überhaupt die Bewegungen
fort, die vom Gesicht oder Gehör oder Geruch veranlasst
werden? Es bleibt eben für Schiff dann nur die eine Annahme, dass alle Sinne, nicht bloss der periphere Hautsinn,
nur dann eine Willenshandlung hervorrufen können, wenn sie
vorher die Tastvorstellung des Gliedes associieren, die ihrerseits dann die Bewegung auslöst. Dem widerspricht aber alle
psychologische Erfahrung. Wir haben bei der Analyse der
Willenshandlung als Bewusstseinserscheinung absolut nicht gefunden, dass zwischen Lichtreiz, Vorstellung des unter den Objekten hervorzubringenden Bewegungserfolges und Wahrnehmung desselben sich irgend eine der Bewegung vorangehende
Tastvorstellung dazwischenschiebt, ja wir sahen, dass selbst
wenn kein äusserer Erfolg, sondern nur eine Bewegung beab-

sichtigt wird, ohne dass eine besondere Wahl nötig ist, die Vorstellung derselben normalerweise so völlig mit der Wahrnehmung der Bewegungsempfindung zusammenfällt, dass wir durchaus nicht in ersterer, geschweige in der Tastvorstellung, etwas zeitlich der Bewegung notwendig Vorangehendes sehen können. Selbst wenn wir aber alle diese, teils unwahrscheinlichen, teils der Erfahrung widersprechenden Annahmen als begründet anerkennen wollten, so würde doch immer wieder die alte Frage bestehen bleiben, wie denn nun die Tastvorstellung eines Gliedes psychophysisch dazu käme, eine bestimmte Bewegung hervorzurufen. Man kann sich wohl vorstellen, dass eine bestimmte peripher von einem Objekt ausgelöste Erregung, welcher eine Vorstellung entspricht, reflektorisch eine der Reizquelle zweckmässig angepasste Bewegungsreaktion hervorruft, denn es wäre denkbar, dass solch dem Träger eminent nützlicher Mechanismus durch natürliche Anpassung entstanden sei; dass aber die Erregung, welche durch die Bewegung selbst entsteht und daher die Bewegungs-, oder wie SCHIFF es nennt, Tastempfindung hervorruft, dass diese nun wieder gerade eben jene Bewegung auslöst, das wäre völlig unnütz und daher unerklärbar. Man müsste, um eine Scheinerklärung zu haben, auf die alte LOTZE'sche Theorie zurückgreifen, nach welcher die Bewegungen zuerst alle in jedem Leben ganz zufällig, durch centrale Blutreize u. s. w. entstanden, bei ihrer Ausführung aber Bewegungsvorstellungen hervorriefen und nun mit diesen sich so verbanden, dass auch in umgekehrter Reihenfolge die Bewegungsvorstellung die Bewegung hervorruft. Man muss nur freilich dabei gleichzeitig sich bemühen zu vergessen, dass LOTZE nicht erklärt hat, wie wir dazu kommen, bald diese, bald jene Bewegungsvorstellung zu wollen, und auf welche Weise die sensorische Erregung der Erinnerung an die Muskelkontraktion zur Quelle des motorischen Reizes wird, dem ja keine Bewusstseinserscheinung entsprechen soll. LOTZE's und daher auch SCHIFF's Annahme verlangt zu ihrer Ergänzung notwendig die weitere Hypothese, dass die zufällig erlangten

9*

Bewegungsvorstellungen nicht, was ganz unerklärbar wäre, direkt die Bewegungen auslösen, denen sie ihr eigenes Dasein verdanken, sondern dieselben indirekt hervorrufen, indem sie solche Objektvorstellungen auslösen, welche die Bewegung als zweckmässige Reaktion erzeugen; wer aber das letztere annimmt, bedarf nicht erst den Umweg, um auf diese Weise wieder an die Ausgangsfrage zu kommen, wie jene Vorstellungen die zweckmässige Bewegung produzieren.

MUNK hat, wie gesagt, einen etwas anderen Weg eingeschlagen, der freilich in den psychologischen Irrtümern Ähnlichkeit mit dem SCHIFF'schen hat. MUNK lässt ausser den Tast-, Druck- und Lagevorstellungen in den Centren für die einzelnen Glieder auch Innervationsgefühle entstehen, und die Reproduktion dieser wird zur Ursache der Bewegung. Wenn diese Innervationsgefühle nur Vorstellungen der ausgeführten Bewegung wären, so entsprächen sie den SCHIFF'schen Tastvorstellungen; es wäre also nur mit einem anderen Ausdruck dieselbe Auffassung. Die Innervationsgefühle sollen hier aber etwas ganz anderes sein; sie sind die Wahrnehmungen der Bewegungsanregung bei der aktiven Bewegung der Körperteile[1]); die Organe, aus denen sie stammen, sind die unterhalb der Grosshirnrinde befindlichen Ganglien oder Centren, welche die Bewegungen auslösen. MUNK selbst hat diese geistreiche Theorie nur nebenbei erwähnt; er hat jene Annahme daher weder eingehend ausgeführt, noch wesentlich benützt für die Erklärung. Er lässt im allgemeinen die zweckmässige Bewegung direkt auf den Licht- oder Schallreiz folgen, ohne erst ein Innervationsgefühl zwischenzuschieben. Damit ist dann der schwierigste Punkt, die Willensfrage einfach umgangen und nicht im geringsten gelöst, wie es seine erwähnte theoretische Definition offenbar beansprucht. Um die Theorie näher kennen zu lernen, müssen wir uns daher an MEYNERT wenden, der sie zuerst aufgestellt und sie, erst in zerstreuten Arbeiten, dann zusammenhängend lichtvoll und geistreich dargestellt hat.

---

[1]) MUNK: Funktionen der Grosshirnrinde. S. 51.

MEYNERT unterscheidet zwei Hauptgruppen der Bewegung;
diejenigen, welche reflektorisch auf eine Wahrnehmung oder
deren Erinnerungsvorstellung erfolgen, und diejenigen, welche
von unserem Ich, unserer, die gesamten Erfahrungen und
Charaktereigenschaften umspannenden Persönlichkeit hervorgebracht werden. Die ersteren gehen zunächst in ihrer primären Form im Mittelhirn, Zwischenhirn, Kleinhirn vor sich
ohne Beteiligung der Rinde; die Rinde aber verhält sich dazu
wie ein Zuschauer, sie nimmt nicht nur den Wahrnehmungs-
reiz wahr und hält ihn als Erinnerung an einer wohl lokalisierten Stelle fest, sondern sie hat auch Kenntnis von der im
Basalhirn durch den Reiz ausgelösten Reflexanregung und fasst
diese als Innervationsgefühl auf. Wenn nun irgendwie später
die Erinnerung an jenen Reiz sich in der Rinde meldet, so
associiert sich ihm das in eine andere Rindenstelle projizierte
Innervationsgefühl, und dieses ruft die entsprechende Bewegung
dann willkürlich hervor; das ist die secundäre, gewissermassen
nachgeahmte Form der Reflexe [1]). In der zweiten Hauptgruppe,
welche nicht Nachahmung von Reflexen, wirken die gesamten
Erfahrungen zusammen auf jene Stelle ein, deren Erregung
uns als Innervationsgefühl gegeben ist, und wieder regt dieses
durch Anschauung des subkortikalen Bewegungsimpulses ge-
wonnene Gefühl jenen zweiten Teil des Reflexes, die Bewegung,
diesmal aber aus anderen Motiven an. Wenn uns ein Messer
an die Haut kommt, ziehen wir das Glied durch jene primäre
subkortikale Reflexform, sobald es uns schneidet, fort; wenn
später das Messer nur sich uns nähert, ruft die Wahrnehmung
schon das Erinnerungsbild des Schmerzes hervor, diesem associiert sich das bei jenem Reflex wahrgenommene Innervationsgefühl und dieses löst nun sofort die Bewegung aus; wenn
aber der Operateur uns schneidet, so vermag unsere gesammelte
Erfahrung, unser Ich, den Reflex nicht nur zu hemmen, sondern auch das Innervationsgefühl hervorzurufen, welches unser
Stillhalten bewirkt, das ursprünglich Teil eines ganz anderen,

---

[1]) MEYNERT: Psychiatrie. S. 145.

lusterregenden Reflexes war. Wir haben hier nicht zu prüfen,
ob diese Theorie, was für MEYNERT massgebend sein musste,
dem Verständnis der Geisteskrankheiten dienstbar ist; wir haben
nur zu fragen, ob sie die physiologischen und psychologischen
Erscheinungen widerspruchslos und einfach zu einer psychophysischen Theorie verbindet. Unter diesem Gesichtspunkt
lassen sich nun zahlreiche Einwendungen nicht verschweigen;
wir heben nur einige von prinzipieller Bedeutung hervor. Die
ganze MEYNERT'sche Einteilung der Handlungen in Reflexe,
resp. deren Nachahmung und in Handlungen der
Persönlichkeit, ist ohne Anhaltspunkte in der Erfahrung, ja wird von derselben widerlegt. Die Erfahrung
lehrt uns nämlich fortwährend, dass Willkürbewegungen in Reflexe sich verwandeln, sie lehrt uns aber im gesamten Kreise
unserer wirklichen Bewusstseinserfahrungen niemals, dass ein
Reflex in eine Willkürhandlung übergeht. Wollen wir also dem
folgen, was wir wirklich in uns erleben, so müssten wir annehmen,
dass alle Reflexhandlungen in unserer Kindheit Willenshandlungen waren, denn noch jetzt geschehen solche Umwandlungen
fortwährend. Hat sich doch auch die SOLTMANN'sche Auffassung, mit der MEYNERT die Idee von der ursprünglichen
Unthätigkeit der Rinde stützt, die Auffassung, dass die Hemisphäre ganz junger Tiere elektrisch unerregbar sei, durch
PANETH's u. a. eingehende Studien, wie früher erwähnt, als
falsch erwiesen. Wir haben ausserdem in der Erfahrung
nicht den geringsten Anhaltspunkt dafür, dass das Vorbild
einer Willenshandlung ein Reflex war. Wo soll denn auch
die Grenze sein zwischen den reflexnachahmenden und den von
der Persönlichkeit erfüllten Handlungen. Beide sind nützlich
und zweckmässig; das einzig denkbare Unterscheidungsmoment
bestände daher darin, dass die Reflexnachahmenden uns auch
in der Erfahrung noch als Reflexe gegeben sind. Thatsächlich
kann aber jede einzige, auch die charaktervollste Handlung
zum Reflex in diesem Sinne werden, d. h. auf blossen Wahr-
nehmungsreiz hin erfolgen ohne Überlegung und ohne bewussten

Willensakt. Wir können bei längerer Übung reflektorisch eine komplizierte Technik ausführen, tanzen, schwimmen, selbst lesen, ja sogar Moralhandlungen können sich zum Reflex verdichten. Andererseits muss der Neugeborene selbst so einfache Reflexe wie das Greifen nach einem Gegenstand und ähnliches erst langsam lernen. Nirgends also bleibt eine Entscheidung, ob es ein Reflex ist, der willkürlich nachgeahmt wird, oder ein Reflex, der aus Willenshandlung entstanden. Ausserdem aber dürfen wir nicht vergessen, dass erstens MEYNERT uns auch wieder nicht erklärt, wie die Rinde dazu kommt, durch jene, von der subkortikal entstandenen Erregung kortikopetal hinaufgeleiteten Innervationsvorstellungen nun kortikofugal den motorischen Impuls auszulösen, und dass MEYNERT zweitens die Existenz des in Mittel-, Zwischen- und Kleinhirn gegebenen zweckmässigen Reflexapparates als gegeben voraussetzt, ohne nach seiner Entstehung zu fragen. So reiht sich da Rätsel an Rätsel, und erschwerend tritt nun noch hinzu, dass jene Auffassung des Innervationsgefühles ebenfalls mit der Erfahrung in doppelter Beziehung nicht übereinstimmt. Einmal nämlich, haben wir uns zur Genüge überzeugt, tritt das Innervationsgefühl durchaus nicht bei jeder bewussten Willkürhandlung auf, sondern höchstens da, wo die Bewegung als isoliert erfasster Selbstzweck beabsichtigt wird. Zweitens aber, und die Beweise dafür waren mannigfaltig genug, ist die Innervationsempfindung nicht central ausgelöst, sondern peripher, es ist keine Wahrnehmung des Bewegungsanstosses, sondern eine Erinnerung an die Empfindungen des bewegten Gliedes.

So kann uns denn die geistreiche MUNK-MEYNERT'sche Theorie ebensowenig befriedigen wie die von SCHIFF oder von GOLTZ, von der populären Auffassung der psychomotorischen Centren ganz abgesehen. Es ist unsere Aufgabe, nach diesem negativen Resultat wenigstens einige positive Anregungen zu einer einfachen, der psychologischen und physiologischen Erfahrung gerecht werdenden Theorie zum Schlusse noch selber beizubringen. Anhaltspunkte für dieselbe bietet uns natürlich in erster Linie unsere Darstellung der Willenshandlung als Bewegungsvorgang und als Bewusstseinserscheinung; nicht minder konnte uns die Prüfung der fremden Hypothesen zum richtigen Wege führen, und schliesslich sei es erlaubt, noch auf einen speziell psychophysischen Punkt hinzuweisen, ehe wir mit einer zusammenfassenden Hypothese zum Ende gelangen.

Ein solcher Punkt, der klargestellt werden muss und der schon in MEYNERT's Theorie sich in den Vordergrund drängte, ist die Frage nach dem psychophysischen Verhältnis von Wahrnehmung und Erinnerungsvorstellung. Nach MEYNERT kam beiden verschiedene Lokalisation zu; der Reiz gelangte zur Wahrnehmung in den subkortikalen Centren und von hier erst wurde er als Erinnerungsvorstellung in die Rinde projiziert. Zu dem besprochenen Missgriff, mit dem MUNK Vorstellungen an Zellen knüpft und der hier von MEYNERT wiederholt wird, kommt nun noch dieser Zusatz zum Vorstellungsproblem, der für die psychologische Betrachtung ein weiterer Angriffspunkt sein muss; MUNK hatte die ganze Frage mehr oder weniger im Halbdunkel gelassen. Ich meine, dass es eine unbegründete, unnötige und deshalb unerlaubte Komplizierung der psychophysischen Hypothesen ist, wenn Erinnerung und Wahrnehmung an verschiedene materielle Substrate geknüpft werden. Wir werden uns deshalb noch nicht der, in das andere Extrem geratenden Anschauung von ALEXANDER BAIN und RIBOT anschliessen, dass der Erinnerungsvorstellung als mechanisches Korrelat nicht nur der bei der Wahrnehmung gegebene Gehirnprozess, sondern auch der gesamte periphere Vorgang in den Sinnesorganen und Muskelnerven entspricht; unsere Auffassung der Innervationsgefühle raubt dieser Hypothese die wichtigsten Stützen. Wir werden vielmehr die Erinnerungsreproduktion einer Empfindung an die Erregung derjenigen centralen Endapparate geknüpft uns vorstellen, welche bei der Wahrnehmung durch Fortpflanzung des Reizes von der Peripherie aus erregt worden waren. Wodurch unterscheidet sich denn in unserem

Bewusstsein die Wahrnehmung einer Empfindung von der Erinnerung an dieselbe? Die Empfindungen unterscheiden sich
untereinander durch verschiedene Qualität, Intensität und Gefühlston, aber selbstverständlich kann bei der Frage nach dem
materiellen Substrat von einem mechanischen Korrelat des Ge-
fühlstones nicht die Rede sein; er ist ja nur insofern Eigenschaft des Empfundenen, als er das Verhältnis der qualitativ
und quantitativ gegebenen Empfindung zu dem gesamten psychischen System, zu dem gegenwärtigen Bewusstseinszustand
wiedergiebt. Mechanisch bedingt können wir uns doch nur
den Bewusstseinsinhalt vorstellen, nicht aber den Zustand des
Bewusstwerdens, der die erkenntnistheoretische Voraussetzung
des gesamten Seins ist, und ebensowenig das Verhältnis des
einzelnen Inhaltes zu dem Bewusstsein. So weit sich Wahrnehmung und Erinnerung durch ihre Gefühlsfärbung unterscheiden, ist es also für die Frage, ob gleiches oder verschie-
denes materielles Substrat, absolut gleichgültig; und ohne Zweifel
ist dieser Unterschied von allen der bedeutendste. Die Erinnerungsvorstellung bewegt sich meist in der Indifferenzlage
zwischen Lust und Unlust; je mehr daher bei der Wahrnehmung bestimmter Empfindungen die Qualität zurücktrat
hinter dem Gefühlston, desto weniger sind wir fähig, jene
Empfindungskategorie ins Gedächtnis zurückzurufen. Die Thatsache der Gefühlsarmut ist aber an sich leicht zu erklären.
Der Komplex der Wahrnehmungen ist durch seine Einheitlichkeit und seine Intensität ja in fast jedem Moment unseres
normalen wachen Lebens stärker als die einzeln auftauchende
Erinnerungsvorstellung; wir erinnern uns also fast nie, ohne
uns dessen bewusst zu bleiben, dass wir uns eben nur erinnern,
das vorgestellte Objekt also nicht wirklich auf uns einwirkt,
nicht wirklich in unserem Wahrnehmungskreis liegt. Ein Objekt aber, an dessen Existenz wir selbst nicht glauben, kann
unser Gefühl natürlich ebenso wenig erregen, wie alle jene
Wahrnehmungsobjekte, die zu uns in keiner Beziehung stehen,
uns gleichgültig sind; beide sind ohne Lust oder Unlust zu

perzipieren. In solchen Fällen aber, wo die Gegenwärtigkeit des Objektes überhaupt nicht die Bedingung unseres Gefühls ist, das Objekt vielmehr früher uns genützt oder geschadet oder später in solche Beziehung zu uns treten wird, da ist der Gefühlston nicht weniger lebhaft als bei interessierender Anschauung; selbst unser Phantasie- und Gedächtnisleben kann uns froh stimmen und betrüben. — Es fragt sich nun, ob die Qualität der Empfindung in der Erinnerung wechselt, und dieses muss entschieden bestritten werden; ja es hätte überhaupt keinen Sinn, von der Erinnerung an einen Gegenstand zu sprechen, wenn die Vorstellung andere Qualitäten umfassen würde. Aber auch von einem Verschwimmen oder Undeutlichwerden kann nicht die Rede sein; wir erinnern uns eines Bildes, einer Landschaft, eines Menschen mit allen Form- und Farbenverhältnissen, eines Tonstücks nicht nur mit Reproduktion der Töne, sondern der verschiedensten Klangfarben der Instrumente. So könnte denn die Hypothese, dass Wahrnehmung und Erinnerung an verschiedene substantielle Unterlagen geknüpft sind, da die Qualitäten der Empfindung in beiden gleich und die Gefühlstöne nicht materiell bedingt sind, sich lediglich auf die Verschiedenheit der Intensität stützen. Der Intensitätsunterschied ist nun freilich bedeutend, aber, wenn er von prinzipieller Wichtigkeit sein soll, so müsste er sicher doch ausnahmslos sein, und davon ist gar keine Rede. Dadurch nämlich, dass wir zu wissenschaftlichen oder praktischen Zwecken die wahrnehmungsstarken Erinnerungsvorstellungen mit besonderen Namen bezeichnen, von Illusionen, Träumen, Phantasiespiel sprechen, dadurch werden sie doch nichts anderes, als was sie sind: Erinnerungen, die so intensiv sind, dass wir sie für Wahrnehmungen halten, gleichviel, ob dadurch hervorgerufen, dass die stärkeren Wahrnehmungen wegfallen, oder dadurch, dass lebhafte Gefühlsinteressen sie in den Vordergrund des Bewusstseins ziehen. Ja, die illusionistische Verwebung unserer Wahrnehmungen mit Ergänzungen unserer Phantasie, mit Erinnerungen von anschauungsgleicher

Intensität ist etwas Normales und Unentbehrliches; es darf nur an die Ausfüllung des blinden Flecks und ähnliches erinnert werden. Vor allem aber hat, wenn auch mit erheblichen individuellen Unterschieden, die Phantasie sehr wohl die Kraft, bei Fehlen starker Wahrnehmungen, uns in eine vorgestellte Wirklichkeit zu versetzen, und nicht nur Licht- und Schall-, sondern selbst Tastreize so lebhaft uns vorzugaukeln, als wäre es Wahrheit. Es bleibt uns somit, wenn wir nicht willkürlich die Thatsachen meistern und nicht die Annahmen unbegründet komplizieren wollen, nur die Hypothese übrig, dass Wahrnehmung und Erinnerung an dasselbe materielle Substrat geknüpft, die Lebhaftigkeit, die Stärke der Erregung aber, wenn der Reiz von peripheren Endorganen ausgeht, grösser ist als wenn er von anderen Rindenteilen, durch Associationsfasern zugeführt wird. Diese Auffassung macht nun aber nicht nur sämtliche Erscheinungen verständlich, sondern sie entspricht auch unserer ausführlich entwickelten Theorie über die phylogenetische Erklärbarkeit des Gehirnmechanismus. Wir sahen, dass uns nach dem heutigen Stande der Naturwissenschaft nur solche Körpereinrichtungen begreiflich erscheinen, welche der Erhaltung des Individuums oder seiner Nachkommen nützlich sind; zu diesen für die Selbsterhaltung zweckmässigen Einrichtungen gehört nun aber in hervorragendem Masse jene Eigentümlichkeit der Ganglienzellen, von der Körperperipherie aus stärker erregt zu werden als von anderen Ganglienzellen aus. Wenn diese Eigentümlichkeit nicht bestände, so würden wir Wirklichkeit und Phantasie nicht zu unterscheiden vermögen, unser Handeln wäre demnach der Wirklichkeit nicht angepasst, unzweckmässig, sinnlos; wir könnten uns nicht erhalten. Nur dann konnte die Natur diesen Zustand leichterer Erregbarkeit, grösserer Intensität der Erinnerung ohne schädliche Folgen erhalten, wenn gleichzeitig die motorische Erregbarkeit ausgeschaltet, wie im Traume während des Schlafens. Wo aber im wachen Leben die Associationserregbarkeit der Ganglien so an Intensität zunimmt, da sprechen wir von krankhaftem Zustand, von Hallucinationen. Die praktische Psychiatrie rechnet zwar zu den Geisteskrankheiten nur dasjenige, was von der psychischen Norm abweicht. Theoretisch richtiger müssten wir dort wie in der gesamten Pathologie alles für krankhaft erklären, was der Selbsterhaltung entgegen läuft. Wenn alle Menschen dauernd hallucinierten, so wäre es normal und dennoch bliebe es in jedem Falle krankhaft, denn der Hallucinant verwechselt die Wirklichkeit, in der er lebt, mit einer Erinnerungswelt, die ihrerseits entsprechende, für die Wirklichkeit daher unzweckmässige Bewegungen auslöst und somit seiner Selbsterhaltung schadet. Die Einrichtung, dass unsere Erinnerung uns die qualitativ gleichen Empfindungen mit bedeutend schwächerer Intensität reproduziert, ist somit aus der natürlichen Anpassung des Gehirnmechanismus als notwendig abzuleiten; eine Veranlassung aber, Wahrnehmung und Erinnerung an verschiedene gangliöse Centren zu knüpfen, liegt darin nicht.

Vor uns liegt nun noch die Aufgabe, in kurzer Skizzierung die Grundlinien einer Theorie zu zeichnen, die allen dargestellten Erscheinungen gerecht wird, den besprochenen Einwänden nicht ausgesetzt ist und dennoch von möglichst einfachen Voraussetzungen ausgeht. Es kann sich, um Wiederholungen zu vermeiden, natürlich nur um ganz allgemeine Darstellung handeln; die Ausführung im einzelnen ergiebt sich dann aus unserer früheren Betrachtung der physiologischen und psychologischen Erscheinungsreihen. Unsere Annahmen sind nun die folgenden.

Jeder Bewusstseinsinhalt, einschliesslich des Willens, besteht, wie wir uns überzeugten, aus Empfindungen. Jede Empfindung hat nun ihre materielle Bedingung in der Erregung der Ganglien innerhalb der Grosshirnrinde; Gehirnerregungen ausserhalb der Grosshirnrinde sind daher mit keinerlei Bewusstseinserscheinung verbunden. Auch die kortikalen Ganglien erzeugen nicht etwa die Empfindungsfunktion aus sich selbst; kann doch ein Blindgeborener bei keiner

inneren Reizung, die uns Lichtbilder erzeugen würde, irgendwie
Licht oder Farben sehen. Die Empfindung ist überhaupt nicht
von vornherein an die Zelle gebunden, sondern ist lediglich
Ergebnis der peripher erzeugten Nervenerregung; der Reiz
pflanzt sich vom peripheren Endorgan in den Bahnen des
geringsten Widerstandes zur Rinde fort, und wir nennen dann
das Bewusstwerden des Reizes: Empfindung. Da jede Reizqualität irgendwie anders einwirkt, so werden immer neue
Bahnen der Weiterleitung am günstigsten sein, so dass allmählich jede Bahn, speziell jedes Ganglion in der Rinde für
die Erregung eines bestimmten Reizes am zugänglichsten wird
und somit schliesslich bei jeglichem Anstoss diejenige Molekularveränderung erfährt, die jenem Reiz, dem es sich so angepasst hat, entspricht; mithin tritt bei jeglicher Anregung,
auch wenn sie nicht peripher, sondern central von anderen
Ganglien ausgelöst, auch psychisch jenes Zeichen für den bestimmten Reiz, die bestimmte Empfindung auf. Auf diese Weise
ist, der phylogenetisch bedingten Endausbreitung der sensiblen
Nerven entsprechend, in jedem Individualleben aufs neue eine Lokalisation der sensorischen Funktionen eingetreten, der allerdings
ohne Zweifel auch eine stammesgeschichtliche Anpassung der Zellen selbst schon entgegenkommt. Jede Ganglie der Rinde ist
somit Endorgan einer centripetalen Bahn — jede Ganglie daselbst ist aber auch Anfangsorgan einer motorischen Bahn; jede Ganglie mit dem zuleitenden
und fortleitenden Anhang repräsentiert somit vollkommen die Funktionen eines tierischen Individuums und bildet das physiologische Element jeder
animalen Bewegung. Motorische Bahnen, deren Anfangs-
ganglion nicht zugleich sensorisches Endorgan ist, giebt es
nicht, denn jeder Ganglienerregung entspricht eine Empfindung;
eine Empfindung des centralen motorischen Impulses, so überzeugten wir uns, ist unserem Bewusstsein aber nicht gegeben.
Die Empfindung, welche aus der Erregung des die Bewegung
auslösenden Ganglions resultiert, ist somit die Empfindung, die

auf der anderen hinleitenden Bahn durch den peripheren Reiz erzeugt ist." Motorische Centren existieren also nicht oder richtiger, jedes Centrum ist sensorisch und motorisch zugleich; jeder motorische Impuls hat seine Quelle im zugeleiteten Reiz, und jede sensorische Erregung dringt weiter fort in die motorische Bahn. Freilich kann die Molekularbewegung der centripetalen Bahn auf der Ganglienstation latent werden und sich erst bei einem, sei es auf derselben, sei es auf intracerebraler Bahn erneuten Anstoss, in motorische Erregung umsetzen. Der Ausgangspunkt aber ist der unmittelbare Zusammenhang: auf den Reiz erfolgt in der reizperzipierenden Rindenganglie sogleich der bewegungsauslösende Impuls. Die durch die Nützlichkeit des Erfolges in der gesamten Tierreihe in unendlichem Zeitraum entstandene Anpassung besteht nun eben darin, dass jede Rindenzelle gerade die dem Reiz zweckmässig entsprechende Bewegung auslöst, dass jeder einfache Reiz vom ersten Atemzug an seine Erregung durch die Hirnrinde auf solche motorische Bahnen überführt, deren Bewegungserfolg dem Individuum jenem Reize gegenüber nützlich ist. Wir haben in unserem ersten Abschnitt den Nachweis geführt, dass diese Nützlichkeit der Bewegungen bei Tier und Mensch absolut ausnahmslos zutrifft und dass der dafür vorausgesetzte Apparat nicht komplizierter zu sein braucht als der vegetative, dessen unendlich feine Differenzierung die Naturforschung heute ja übereinstimmend auf natürliche Anpassung infolge von Zweckmässigkeit im Kampf ums Dasein zurückführt. Wir können hier auf die dort beigebrachten Argumente zurückverweisen und somit, als begründet nach dem Standpunkt der heutigen Naturwissenschaft, die Hypothese aufstellen, dass vom Sinnesorgan zum Muskel durch die Grosshirnrinde ein Reflexbogen führt, der dem Individuum dadurch nützlich ist, dass die ausgelöste Muskelkontraktion zweckmässig dem Reiz entspricht. Selbstverständlich ist unsere bisherige Fassung des Gedankens rein schematisch; um eine einzelne Bahn mit einer einzelnen Ganglie kann es sich nie handeln. Jedes Objekt wirkt auf eine Reihe von Bahnen, erregt einen Komplex von Ganglien, erregt dadurch eine Reihe von Muskeln und, wie die Bewegungen des kleinen Kindes beweisen, ist nur die Tendenz der Bewegung zweckmässig, noch nicht die einzelne Ausführung. Mitbewegungen treten ein, und ungeordnet wirken die Reaktionen durcheinander. Aber nun wirkt langsam, beharrlich die Erfahrung auf das Kind ein; Reizkomplexe zerteilen sich, und dadurch werden die einzelnen Bewegungen isoliert, andere Reize kombinieren sich, und so entstehen aus beiden Impulsen resultierende Bewegungen; dasselbe Objekt wirkt auf mehrere Sinnesorgane, und die Reize wirken so gemeinsam zum Resultate, und je geordneter die Bewegungen werden, desto mehr werden die Muskelkontraktionen nun selbst wieder zu peripher einwirkenden Reizen und der eigene Körper wird zu dauernder Reizquelle. Dazu kommt dann, wenn die Ganglien erst häufig von den homogenen Reizen peripher erregt sind, die Möglichkeit, dass sie auch ohne peripheren Reiz, wenn auch schwächer, von anderen Ganglien aus erregt werden können, gemäss dem unzweifelhaft für das ganze Gehirn geltenden Gesetz, dass von zwei gleichzeitig oder nacheinander aufgetretenen Erregungszuständen stets die Erneuerung des einen auch die des anderen hervorrufen kann. Die associierte Erregung wird somit auch wieder zum Element des gesamten Erregungskomplexes der Rinde, der sich in den resultierenden Bewegungen zweckmässig und entsprechend entladet. Langsam gewinnt so der sensorisch-motorische Apparat, vermöge seiner nützlichen Anlage, die Fähigkeit, sich dem ganzen Bedingungskomplex anzupassen, dem etwa das Kind von einem Jahr oder das Tier in seinem Elemente ausgesetzt ist. Man muss eben nur nicht vergessen, dass das Kind wirklich alles und jedes erst lernen muss, d. h. jedes erst mehrfach in verschiedenen Verbindungen auf seine Sinnesorgane wirken lassen muss, ehe die richtige Reaktion wirklich ganz korrekt erfolgt, wie z. B. das Greifen erst langsam sich aus den Hauttastreflexen ausbildet, wie das Fixieren erst langsam von den Lichtreizen ausgelöst wird, wie selbst das Geradehalten des Kopfes durch die peripheren Reize erst mühsam erworben wird. Hier beim Beginn der menschlichen Entwicklung und nicht auf ihrer Höhe müssen wir die Bewegungen studieren und werden uns dann leichter davon überzeugen, dass jede zweckmässige Bewegung nur Reaktion auf einen Reiz und dass dem entsprechenden, zwischen Reiz und Bewegung vermittelnden Mechanismus wahrlich nicht zu viel zugemutet wird, wenn man in seiner materiellen Anlage die einzige Bedingung für die Auswahl der Muskelkontraktionen sucht. Ja, der Behauptung, dass der Mensch in der ersten Lebenszeit nur reflektorisch sich bewegt, wird vielleicht weniger widersprochen als der aufgestellten Annahme, dass jeder solcher Reflexbogen durch die Grosshirnrinde geht und jedes Ganglion dort sowohl mit centripetaler wie centrifugaler Bahn in Verbindung steht.

Es fragt sich nun, was dabei im Bewusstsein vor sich geht. Zunächst muss unserer Annahme entsprechend die peripher ausgelöste Reizung in der Ganglienzelle eine Empfindung, eine Wahrnehmung bedingen; der aus der Erregung erfolgende Bewegungsimpuls aber bleibt ohne psychisches Korrelat, da die Empfindung ja nur das Zeichen für periphere Reizung ist. Der thatsächlich sich vollziehenden Bewegung geht also psychisch nichts anderes zunächst voraus, als die Wahrnehmung des die Bewegung durch den Rindenreflexbogen auslösenden Reizes. Sobald nun aber die Bewegung wirklich abläuft, kommt für das Bewusstsein etwas Neues hinzu, die peripher im kontrahierten Muskel, in Haut und Gelenk erzeugte Bewegungsempfindung. Diese Bewegungsempfindung folgt also unmittelbar nach der Wahrnehmung des Reizes, welcher die Bewegung auslöste; die der Bewegungsempfindung entsprechende sensorische Ganglienerregung tritt dadurch mittelst einer Associationsbahn in Beziehung zu jener dem Reiz entsprechenden, die Bewegung impellierenden Erregung. Ist der Vorgang mehrmals erfolgt, so wird die Verbindung so eng, dass notwendig die erste Erregung schon durch die Associationsbahn direkt die zweite auslösen muss, noch ehe diese peripher vom kontrahierten Muskel erzeugt ist. Psychisch ausgedrückt, **die Wahrnehmung des Reizes muss durch Association die Erinnerungsvorstellung der entsprechenden Bewegungsempfindung auslösen, noch ehe dieselbe von der vollzogenen Bewegung selbst erzeugt ist,** denn ersteres geschieht auf dem kurzen Wege der Associationsleitung in der Hemisphäre, während letzteres erst die Leitung zum Muskel, dann die Latenzzeit der Muskelerregung, darauf die Kontraktion und ihre Wirkung auf den sensiblen Nerv und schliesslich die Rückleitung zur Rinde verlangt, erheblich später also erfolgen wird. Nun nennen wir, wie wir sahen, die Erinnerung an die Bewegungsempfindung, auf Grund unberechtigter Voraussetzung über die motorische Innervation, gewohnheitsmässig Innervationsgefühl. **Es ist damit klargelegt, weshalb unser Innervationsgefühl der Wahrnehmung der Bewegung vorangeht; in ihm, als dem konstanten Signal der Bewegung, das zugleich inhaltlich der Bewegung entspricht, glauben wir nun unwillkürlich auch die Ursache derselben zu sehen: das ist der Typus der Willenshandlung, aus dem sich alle anderen Formen entwickeln lassen.**

Die Bewegung des Kindes ist ja meist nicht Selbstzweck, wie etwa beim Fortziehen des Gliedes unter schmerzendem Reiz, sondern erreicht gewöhnlich eine Veränderung in den Verhältnissen der Objekte. Das Kind, das von einem Reiz veranlasst, nach einem Gegenstand greift und ihn heranzieht, nimmt also bei der reflektorischen Ausführung dieser Thätigkeit nicht nur die Bewegungsempfindung wahr, sondern auch den äusseren Erfolg; auch die Vorstellung dieses Erfolges muss sich also mit dem betreffenden Reiz associieren, und wenn der Reiz wieder eintritt, wird die Erinnerungsvorstellung des Bewegungserfolges durch Association wieder früher eintreten, als die Wahrnehmung desselben. Auch in diesem Falle werden wir dann statt der Reizwahrnehmung unwillkürlich die Erinnerungsvorstellung, weil sie dem Effekt so genau entspricht, für die eigentliche Ursache der Bewegung halten und dadurch natürlich veranlasst werden, für die Bewegung selbst noch irgend einen centralen Willensimpuls vorauszusetzen, während in Wahrheit eben jene antizipierte Vorstellung des Erfolges und die darauf folgende Wahrnehmung desselben den gesamten Bewusstseinskomplex bilden, den wir wirklich in uns finden; begleitet freilich von den Empfindungen in den Muskeln der Sinnesorgane, deren Thätigkeit durch den Reiz ebenfalls reflektorisch ausgelöst wird. Nehmen wir nun den komplizierteren Fall, dass gleichzeitig auf das Kind zwei Reize einwirken, deren Bewegungsreaktionen sich gegenseitig ausschliessen; der stärkere Reiz wird sich dann motorisch entladen, ohne dass der schwächere zur Wirkung kommt. Wenn nun aber beide gleich stark und doch unmöglich zu einer Einheit mit gemeinschaftlicher Reaktion sich verbinden können, so wird zunächst keine motorische Reaktion eintreten können; jede gereizte Ganglie aber wird die durch Associationsfasern verbundenen Centren anregen, und nun steht nicht mehr Reizwirkung gegen Reizwirkung, sondern auf beiden Seiten sammeln sich die durch frühere Erfahrungen gewonnenen Associationen, in erster Linie selbstverständlich die associierte Vorstellung des dem Reiz entsprechenden Bewegungserfolges. Ist diese nun auf der einen Seite stärker als auf der anderen oder regt sie auf der einen Seite mehr Lustaffekte an, als auf der anderen, so wird die entsprechende Bewegung erfolgen; man darf aber auch in diesem Falle, dem Typus der eigentlichen Wahlhandlung, nicht behaupten, dass es die Bewegungsvorstellung war, welche die Bewegung erzeugte, sondern die Bewegungsvorstellung samt der Reizwahrnehmung bildete einen sensorischen Komplex, dem jener motorische Effekt entsprach. Die Bewegungsvorstellung an sich hätte eine ganz andere Bewegung erzeugt, nur dadurch, dass sie zu dem bestimmten Reiz, dem sie durch die Erfahrung associiert ist, hinzutrat, nur dadurch wurde sie zum Teil der auslösenden Ursache.

Nun müssen aber durchaus nicht immer, damit Associationen miteinwirken, zwei sich ausschliessende Bewegungen gleichmässig bedingt sein, es kann ein grösserer Reizkomplex einwirken, der so viele Sinnesapparate, so mannigfaltige Bahnen erregt, dass der von der Gesamtheit der Erregungen in der Rinde auszulösende Reflex durchaus nicht unmittelbar erfolgt, sondern erst eine kortikale Verbindung zwischen den erregten Ganglien entstehen muss, damit sämtliche Erregungen als physiologische Einheit wirken können. Inzwischen ist die Erregung aber auch auf die übrigen Associationsbahnen übergetreten, und je komplexer der Reiz, desto mehr wird, ehe der Reflex erfolgt, die Gesamtsumme der viel eingeübten Associationen funktionieren und nun ihrerseits auf den schliesslichen Bewegungserfolg einwirken. Jener Komplex der hauptsächlich eingeübten häufigsten Associationen, der zunächst nur die Vorstellung des eigenen Körpers und der nächsten Umgebung, im späteren Alter den ganzen Kreis der Interessen und Ideale umfasst, das ist unser Ich, unsere Persönlichkeit. Wir begreifen aus dem Vorhergehenden, wie, je komplexer der Reiz, desto weniger die Bewegung unmittelbar erfolgt, desto mehr sich dagegen Gelegenheit bietet, jene, das Ich umspannenden Associationen hervorzurufen, so dass sie alle zusammen sich mit der Reizwahrnehmung zur Bewegungsursache vereinen und so die Latenzzeit erheblich verlängern. Selbstverständlich wird aber bei verschiedenen Reizen stets derjenige als der stärkere siegen, mit dem sich jene Associationsfülle verbindet, die unser Ich konstituiert; nur ungewöhnlich starke Reize werden mächtiger wirken als die von der gesamten Persönlichkeit unterstützten Motive. In jedem Falle führt der stärkere Komplex zur Bewegung, sofern nicht beide zu einer Einheit mit resultierender gemeinschaftlicher Bewegung verschmelzen können. Darauf legen wir nun aber den Schwerpunkt, dass erstens die Gesamtheit der von den Reizen ausgelösten senso-

rischen Erregungen samt den sensorischen Erregungen ihrer Vorstellungsassociationen die zureichende unmittelbare Ursache der Bewegung
ist, dass sie also nicht erst auf motorische Centren
wirken, sondern die betreffende Molekularveränderung der
Rindenganglien, die wir als Wahrnehmungs- und Erinnerungsvorstellungen empfinden, gleichzeitig die Impulse für die motorische Bahn sind. Zweitens aber betonen wir, dass dabei als
eine der aus gelösten Associationen auch die Erinnerungsvorstellung des Effektes mitwirkt, dieser aber als Ursache
der Bewegung nur eben ein Bruchteil von Bedeutung zukommt, wiewohl ihr der Bewegung voraus-
gehendes Auftreten und ihre Übereinstimmung mit
dem schliesslich wahrgenommenen Erfolg die einzige
Ursache für uns ist, die Bewegung als gewollte zu
bezeichnen. Eine sonstige Willensempfindung giebt es nicht,
ja, wir glauben genau so zu wollen, wenn auch nicht die Bewegung selbst als Innervationsgefühl, sondern ihr Erfolg als
Gegenstandsvorstellung in uns durch den Reiz associativ angeregt wird, und schliesslich, wie wir sahen, in der einfachsten
Form glauben wir die Bewegung zu wollen, wenn die Vorstellung oder das Innervationsgefühl überhaupt nicht mehr dem
Anfang der motorischen Erregung sondern nur der Wahrnehmung ihres Effektes vorausgeht, derart, dass beide meistens schon
miteinander verschmelzen. Wir bezeichnen sie dann freilich als
eindeutig bestimmte, als Triebhandlung im Gegensatz zu der
Willkürhandlung, wo die associierte Vorstellung der Bewegung
oder des Bewegungserfolges mitwirkende Ursache war, also der
motorischen Erregung selbst voranging; für gewollt halten wir
aber mit Recht die Triebhandlung auch, denn auch ihr kommt
das einzige psychische Kriterium des Willens zu, dass nämlich
vor der Wahrnehmung des thatsächlichen Erfolges die Vorstellung desselben ins Bewusstsein tritt. Jetzt und im folgenden
sehen wir dabei immer ab von der als direkter Reizerfolg ja in
derselben Richtung leicht erklärbaren Mitwirkung jener für unser

Willensgefühl so wichtigen Empfindung der wirklichen oder als Innervationsgefühl bloss vorgestellten Thätigkeit in den Sinnesorganen und der Kopfmuskulatur.

Wenn nun die Gehirnvorgänge auf die geschilderten Prozesse beschränkt wären, so würden zunächst zwei Erscheinungsreihen unverständlich sein. Wir haben doch früher gesehen, dass ein Tier mit exstirpiertem Grosshirn vollständig fähig ist, auf äussere Reize zweckmässig zu reagieren, ja, dass alle Sinnesreize etwa beim hemisphärenlosen Frosch normale Reaktionen auslösen und nur die spontanen Willkürbewegungen in Wegfall kommen. Wenn wirklich alle Bewegungen aber nach unserer Annahme Reflexe sind, deren Zweckmässigkeit bedingt ist durch die spezifische Verbindung von centripetaler und centrifugaler Bahn in den Ganglien der Grosshirnrinde, so wäre es mit dem Experiment nicht vereinbar. Die zweite, noch wichtigere Erscheinung ist die, dass bei uns allen und auch beim Tier der einzelne Reizkomplex nicht nur eine Bewegung, sondern eine ganze Reihe von Bewegungen auslösen kann, und dass wir vor allem mehrere Bewegungen gleichzeitig vollführen. Wenn, wie wir annahmen, die gleichzeitigen Erregungen der Rinde sich physiologisch und psychologisch zu einer einheitlich wirkenden Impulsbedingung vereinigen, oder, wenn dieses nicht möglich, die schwächeren wirkungslos bleiben, so könnte in jedem Moment nur ein Bewegungseffekt verwirklicht werden. Wenn die Reize uns erregten, deren motorisches Produkt die Geradehaltung des Kopfes oder das Heben des Armes oder gar eine Gehbewegung ist, so würden andere gleichzeitige Reize entweder so schwach sein, dass sie eine Änderung nicht erzielten, oder sie würden eben, wenn sie auch von lebhafter Stärke, mit den übrigen Reizen zum Gesamtkomplex sich vereinigen, deren resultierende Bewegung dann vielleicht eine etwas andere wäre; jedenfalls aber könnten sie nicht noch eine von der ersten unabhängige Bewegungsgruppe erzeugen. Es wäre also undenkbar, dass wir beim Gehen auch noch beabsichtigte Hand- und Augenbewegungen oder gar neben diesen noch Sprachbewegungen ausführen könnten. Beide Erscheinungen, die des reagierenden Tieres ohne Grosshirn und die des Geschöpfes, das mehrere Handlungen mit verschiedenen Zwecken gleichzeitig ausführt, sind nun bisher immer auf dasselbe materielle Substrat zurückgeführt, auf die Funktionen der subkortikalen Centren. Auch wir halten an dieser Annahme fest, nur mit dem Unterschied, dass diese Reflexthätigkeit der subkortikalen Centren uns als sekundäres Produkt derjenigen Reflexe gilt, die ursprünglich von der Rinde erzeugt sind. Nur der Rinde kam Bewusstsein zu; jede zweckmässige Bewegung ist somit zuerst auf wirklich wahrgenommenen Reiz erfolgt; überall da aber, wo sowohl die zur Rinde aufsteigende, wie die von ihr absteigende Bahn dasselbe tieferliegende Centrum passierten und in ihm gangliöse Stationen erhielten, da trat zwischen dieser sensiblen und der motorischen Zwischenstation allmählich eine Associationsverbindung ein, entsprechend dem Gesetz, dass gleichzeitige Erregungszustände sich physiologisch zu vereinigen streben. Nachdem also mehrmals z. B. ein Reiz auf der Bahn durch das Kleinhirn oder den Vierhügel oder den Sehhügel zur Rinde gelangt ist und dort jedesmal einen motorischen Impuls ausgelöst hat, der wieder durch dasselbe jener niederen Hirnorgane seinen Weg nahm, so wird jedesmal mehr diejenige Faser zur Bahn mit geringstem Widerstand werden, welche innerhalb jenes grauen Kernes die Ganglie der sensiblen mit der von der motorischen Bahn verbindet. So kann denn der zur Rinde strebende Reiz schon in dem niederen Centrum, also vor beendetem Wege ohne eine Bewusstseinserscheinung anzuregen, doch auf die motorische Bahn gelangen und die Bewegung zweckmässig auslösen. Niemals kann dieser Reflex dort aber früher entstehen, als bis eben die Verbindung der sensiblen und der motorischen Erregung durch die Rinde mehrfach vermittelt wurde. Jene Erscheinungen am Frosch sind also sekundär; der grosshirnlose Frosch hat somit erstens keine Empfindung, und zweitens könnten die übriggebliebenen Hirnteile die zweckmässigen

Bewegungen nicht aus sich selbst auslösen, wenn
sie nicht erst eine längere Zeit zur Einübung der
Reflexe mit der Rinde verbunden gewesen wären.
Diese Deutung entspricht in erster Linie dem, was wir unser
ganzes Leben lang fortwährend erfahren und was MEYNERT
gerade der Erfahrung widersprechend umkehrte: dass nämlich
bewusste Bewegungen in unbewusste übergehen.
Da dieses so lange erfolgt, als unsere Rückbesinnung reicht, so
müssen wir entschieden dem Erfahrungsprinzip für die Erklärung treu bleiben und von Anfang an beim Menschen gar
keine unbewussten Reflexe voraussetzen, sondern eben jede unbewusste zweckmässige Thätigkeit als Produkt eingeübten Rinden-
reflexes betrachten; das Kind muss ja in der That alles erst
lernen. Erst diese Deutung erklärt nun ausser vielem anderem
auch die Thatsache, dass die unbewusst erfolgenden zweckmässigen Reflexe — richtiger gesagt, die Reflexe, deren Impuls
erfolgt, ehe der Reiz wahrgenommen wird, denn die sensorische
Erregung kann natürlich, auch wenn sie schon im niederen
Centrum die Bewegung auslöst, doch noch zur Rinde vordringen — sie erklärt also, dass die Reflexe der niederen Ganglien meist durchaus nicht nur dem momentanen, sie auslösenden
Reiz, sondern einem grösseren Reizkomplex angepasst sind.
Wir sahen ja, dass wir nur solche Mechanismen als angeboren
annehmen dürfen, deren Funktion dem Träger nützlich ist,
jene Reflexe aber, die bei den höheren Geschöpfen von einzelnen Reizen ausgelöst werden, würden durchaus nicht zweckmässig sein, wenn der betreffende Reiz für sich allein bestände,
wenn die betreffende Licht- oder Schall- oder Tasterregung
nicht lediglich Signal eines grösseren Bedingungskomplexes
wäre, der nur für das Individuum sich längere Zeit als konstant
erwiesen hat. Unter anderen Verhältnissen würde derselbe
Reiz vielleicht Teil eines ganz anderen Komplexes sein und
somit andere Reaktion verlangen. Der Reflexapparat wäre
also durchaus nicht zweckmässig und daher unerklärbar. Nach
unserer Annahme dagegen ist der Reflex zuerst von der Rinde

ausgelöst; in dieser konnten alle die Elemente des ganzen
Komplexes aus den verschiedenen Sinnen mit den gesamten
Associationen zusammenwirken, und der dieser Gesamterregung
entsprechende Impuls musste zweckmässig ausfallen. Die Reaktion erfolgte also nicht auf den auslösenden Reiz hin, sondern
auf eine Summe von Reizen; nur weil alle übrigen Reize des
Komplexes konstant waren, hingen die Variationen der Bewegung lediglich von den Veränderungen einer bestimmten
Reizqualität ab, und an die aufsteigende Erregung dieses Reizes
konnte sich nun die Association der Bewegung so anknüpfen,
dass dieser eine Reiz für sich die entsprechende Bewegung
hervorruft. Variieren inzwischen die anderen Bedingungen, so
wird der vom Reiz ausgelöste Reflex eventuell unzweckmässig;
es ist aber bekannt, dass die eingeübte Verbindung noch lange
auf den Reiz hin in Kraft tritt, weil eben zur Rinde, zum
Bewusstsein der Reiz erst gelangt, wenn er im Basalhirn den
Reflex schon ausgelöst hat. Andererseits vermag jede neue Varia-
tion der Bedingungen nach wenigen bewussten Ausführungen
der zweckmässigen Bewegungen, sobald sie konstant bleibt und
nur ein einziger Reiz wechselt, schnell diesen zur auslösenden
Bedingung unbewussten Reflexes zu gestalten. Das tägliche
Leben mit seinen tausend kleinen Gewohnheitshandlungen veranlasst uns alle ja fortwährend zu unbeabsichtigten Experimenten über diese Frage. Sicher können wir denselben das
eine Ergebnis entnehmen, dass in der That eine ganz geringe
Zahl von bewussten Bewegungen ausreicht, um dieselben bei
Konstanz aller übrigen Bedingungen zum unbewussten, auf bestimmten Reiz eintretenden Reflex zu verdichten, ja dass solch
eine Reflexauslösung selbst für recht komplizierte Bewegungen
eingeübt werden kann, bei welchen der eine veranlassende Reiz
nur ein verschwindender Bruchteil der wirklichen Ursache ist,
diese selbst vielmehr in einer Fülle von Wahrnehmungen und
Erinnerungen besteht. — Selbstverständlich liegen die Verhältnisse für die niederen Tiere, deren Existenzbedingungen fast
ganz konstante sind, erheblich anders. Da kann in der That

sich schon durch phylogenetische Anpassung ein Reflexapparat
bilden, der auf einen einzelnen Reiz hin Bewegungen auslöst,
die einem grösseren Reizkomplex angepasst sind, denn wenn
die übrigen Bedingungen sich nie ändern, so bleibt die Reaktion
zweckentsprechend und nützlich. So sind die Instinkte, besonders bei den ganz einseitig in ihrer Bewegungsfähigkeit
entwickelten Insekten, zweifellos solche Reaktionen, denen
durchaus kein Bewusstwerden des gesamten Bedingungskomplexes, vielmehr lediglich eine einzelne, Signal gebende Wahrnehmung vorangeht. Bei den höheren Geschöpfen wäre das
inmitten der so wechselnden Existenzbedingungen unzweckmässig
und unmöglich. Das kann für die Herz- und Atembewegungen
gelten, aber für keine anderen. Alle Reflexthätigkeit der subkortikalen Centren ist eine sekundäre Abkürzung des Reflex-
bogens, der durch die Rinde führt.

Aber noch eine zweite Association zwischen Erregungen
innerhalb eines subkortikalen Centrums lässt sich von vornherein erwarten. Wenn nämlich eine bestimmte Reihenfolge
von Reizkomplexen auch eine bestimmte Reihenfolge entspre-
chender Bewegungen in der Rinde auslöst, die motorischen
Bahnen derselben aber wieder ein tieferes Centrum passieren, in
welchem Ganglien in ihren Weg eingeschaltet, so ist doch, entsprechend dem Gesetz von der physiologischen Verbindung
gleichzeitiger oder aufeinanderfolgender Ganglienerregungen zu
erwarten, dass wenn der Impuls der ersten Bewegung von der
Rinde hinabsteigt, er in der Ganglie des subkortikalen Centrums
die Associationsbahn zu der Ganglie der zweiten Bewegungs-
bahn miterregt. So würde nach einiger Übung die dem zweiten Reizkomplex entsprechende Bewegung schon von der ersten
ausgelöst werden, die zweite würde ebenso die dritte erregen,
mithin eine mehrfach ausgeführte Bewegungsreihenfolge, die
einer Reihenfolge von Reizkomplexen entspricht, schon durch
den ersten Reiz ausreichend bedingt werden. Wenn das Kind
gehen oder sprechen oder späterhin musizieren oder schreiben
lernt, so ist jede einzelne Bewegung ursprünglich Reaktion

auf einen bestimmten Reizkomplex, bis allmählich, nicht etwa eine Bewegung die andere, sondern, wie geschildert, ein Bewegungsimpuls den anderen durch die Verbindung der nacheinander erregten subkortikalen Ganglienzellen auslöst. Für die dauernd von der Rinde aus erzeugten Bewegungen scheint besonders Streifenhügel und Linsenkern diese koordinierende Bedeutung zu besitzen, für die später vom Basalhirn ausgelösten Reflexbewegungen kommt dagegen besonders den Verbindungen des Rückenmarks jene Funktion zu.

In zweierlei Weise wird somit fortwährend die Reflexthätigkeit der Rinde in ihrer Arbeit entlastet; erstens wird allmählich bei konstanter Reihenfolge von Reiz und Impuls der beide verbindende Schliessungsbogen in das Mittelhirn, Zwischenhirn, Nachhirn oder Rückenmark verlegt, zweitens wird bei konstanter Reihenfolge von Bewegungen jede motorische Bahn mit der jedesmal nachher zu benutzenden in Streifenhügel, Linsenkern und Rückenmark verknüpft; durch die erste Einrichtung also vermag ohne Mitwirkung von Rinde und Bewusstsein der Reiz die zweckmässige Bewegung auszulösen, durch die zweite Einrichtung giebt ein Bewegungsimpuls die Anregung für die ihm zugeordneten Bewegungen. Auf diese Weise ist nun die Bedingung für jede Entwicklung geboten. Indem die ursprüngliche Thätigkeit der Rinde anderen Teilen überlassen wird, kann sie selbst neue Reize auf sich wirken lassen und in zweckmässige Bewegungen umsetzen, Reize, die vorher als zu schwach zurücktreten mussten oder noch nicht genug Associationen vorfanden, um eine passende Bewegung mit diesen zusammen hervorzurufen. Gerade in dem letzteren Moment liegt nämlich ein Hauptfaktor für den individuellen Fortschritt. Je mehr das Kind reift, desto mehr Bedingungen wirken auf dasselbe ein, die nicht in ihrer Gesamtheit sich wahrnehmen lassen; da muss das Bild, das Wort, das Schriftzeichen schliesslich für den Gegenstand eintreten; wenn dennoch stets die passende Be-

wegungsreaktion erfolgen soll, so muss mit den direkt einwirkenden Reizen sich die Fülle erworbener Associationen
verknüpfen, damit nicht nur der Teil der äusseren Bedingungen,
der wahrgenommen wird, sondern der gesamte Komplex als
Einheit den motorischen Impuls erteilt. Vor allem muss immer
häufiger, um den direkten Reizkomplex zur zweckmässigen
Handlungsursache sich erweitern zu lassen, jene Associations-
reihe sich mit ihm verbinden, die wir als Ich charakterisierten.
Diese kann in jedem Moment sich natürlich nur mit einem Reizkomplex verknüpfen; wir würden also nie dahin kommen, beim
Gehen sprechen zu können, wenn wir, wie die Kinder, sowohl
gehen als sprechen nur dann könnten, sobald sich mit der
Wahrnehmung der veranlassenden Reize unser Ich verbinden
müsste, um die Bewegung zu erzeugen. Das Kind muss die
Associationen, die das Ich konstituieren, mit der Wahrnehmung der Tast- und Gesichtsreize verbinden, damit die
richtige Gehbewegung resultiert, d. h. es muss seine Aufmerksamkeit dem Gehen zuwenden, und kann deshalb nicht
gleichzeitig mit Aufmerksamkeit sprechen. Wir können auch
beim Gehen unser Ich mit der Wahrnehmung des Schalles
einer Frage verbinden, damit dieser ganze sensorische Komplex
die Antwort auslöst, da wir zum Gehen unsere Aufmerksamkeit
nicht verwenden. Wir können hier nun nicht verfolgen, wie
sich in dieser Weise in der Rinde immer kompliziertere Reflexe
auslösen, indem, den angesammelten Erfahrungen entsprechend,
ein immer grösserer Associationenkomplex mit den direkten
Wahrnehmungsreizen sich in jedem Moment verbindet und
stets die ganze, durch Associationsbahnen zu physiologischer
Einheit verschmolzene Erregungssumme unmittelbar die Reaktion reflektorisch bewirkt, während gleichzeitig jeder der so
ausgelösten Impulse in den niederen Centren eingeübte Koordinationen anregt und jeder der sensiblen Reize im Hirnstamm
eigene konstante Reflexe hervorzurufen vermag.

Wir sehen so den Weg vor uns, auf dem das Tier zu
seiner bescheidenen Intelligenz, der Mensch zu den höchsten

Leistungen geistigen Könnens gelangt und gelangen muss.
Stets aber sehen wir die Willenshandlung als motorische Entladung sensorischer Erregung, mag es die Empfindung eines
einzelnen Reizes, mag es eine Welt von innerlich und äusserlich verbundenen Vorstellungen sein; sobald der sensorische
Erregungskomplex, der bewusste Vorstellungsinhalt, erst da
ist, ist mit ihm also auch die Bewegung notwendig gegeben,
ohne ein Zwischenglied, das etwa für das Bewusstsein als Wille
funktionierte. Der bei unserer Deutung sich ergebende psychische Inhalt entspricht vielmehr genau dem, was die Analyse der Bewusstseinserscheinungen ergab. Immer folgt auf
das Bewusstwerden des Vorstellungs- oder Wahrnehmungs-
inhaltes unmittelbar die Bewegung; der Wahrnehmung des Bewegungserfolges geht aber durch Association mit der Reizwahrnehmung die Vorstellung dieses Erfolges voraus und deshalb erscheint uns die Handlung als gewollt. Wenn mehrere
Handlungen gleichmässig bedingt sind, so ist diese antizipierte
Associationsvorstellung zugleich ein Bruchteil der Motive; das
ist die Willkürhandlung. So erklärt sich uns nun auch das
Rätsel, zu dessen Lösung immer der unbewusste Wille dienen
musste, weshalb so viele Handlungen so instinktmässig richtig
erfolgen und unserer gesamten Persönlichkeit entsprechen,
ohne dass wir uns einer Willensthätigkeit bewusst geworden
sind. Thatsächlich ist in diesen Fällen nur die Association
der Vorstellung des Bewegungserfolges ausgeblieben, sei es
weil sie noch nicht oft genug vollzogen, sei es weil die Bewegung zu schnell erfolgt ist; wir sahen ja, dass in ihrem Auftreten das psychische Kriterium des Willens liegt, während sie
psychophysisch nur bei der Wahlhandlung, und auch da nur
accessorisch, von Bedeutung ist. Ebenso erklärt sich aus dieser
psychophysischen Theorie die unbezweifelbare Thatsache, dass
uns durchaus nicht immer als Willensanstoss ein Innervationsgefühl gegeben ist; dasselbe tritt eben nur dort auf, wo der
nächste Erfolg, die Bewegung selbst, nicht der fernere, der
Bewegungseffekt, in der Vorstellung antizipiert wird. Anderer-

seits müssen wir uns nun daran erinnnern, was sich bei der
Analyse der Bewusstseinserscheinungen ergab, dass nämlich verschiedene sensorische Nebenwirkungen im Bewusstsein auftauchen, die wir mit dem Willensakt verschmelzen, ohne dass
sie für ihn notwendig sind. So leitet, auch wenn wir nur den
schliesslichen Effekt als Vorstellung associiert, die Bewegung
also nicht besonders innerviert haben, die Muskelkontraktion
doch sinnliche Erregungen zum Bewusstsein. Ebenso leiten
diejenigen sensiblen Reize, die schon im Hirnstamm die Be
wegung ausgelöst, doch noch ihre Erregung zur Rinde und
schaffen somit einen konstanten Empfindungshintergrund. Ausserdem aber sahen wir, dass wir als Bewegungserfolg oft eine
Vorstellung vorwegnehmen, deren Erfüllung erst durch eine
Serie von Bewegungen ermöglicht wird. An diese herrschende
Vorstellung schliesst sich dann die Vorstellung der ersten,
dann die der zweiten Bewegung an und stets folgt dem Innervationsgefühl die Wahrnehmung der Ausführung. So wird
unser Bewusstsein, um bei den wirklichen Bewegungen zu bleiben und von der inneren Willensthätigkeit zu abstrahieren,
von den mannigfaltigsten Willensregungen fort und fort erfüllt,
in keiner aber liegt mehr als Wahrnehmung und Erinnerung
von Bewegungen oder Bewegungserfolgen. Einen spezifischen
Willen giebt es so wenig wie motorische Centren.

Unsere Hypothese erklärt nun auch einfach den Vorgang
der Hemmung, der in der Physiologie wie in der Psychologie recht mystisch geworden war. Sensorische Reize sollten
den Ablauf der Reflexe hemmen und somit auch psychisch die
Konzentrierung der Aufmerksamkeit auf einen Reiz die Willensreaktionen gegenüber allen anderen Reizen herabsetzen. Psychisch heisst das nichts anderes, als dass eben nicht, wie
meist angenommen wird, der einzelne Reiz schon die Willens-
regung hervorruft, sondern der Reiz sich mit den Associationen
seiner Sinnessphäre und verwandten Inhaltes, vor allem aber
meist mit den Associationen des Ichs verbinden muss, um
die entsprechende Bewegung hervorzurufen. Dieses Ich kann

sich nun aber nicht gleichzeitig mit zwei Reizen verbinden, falls nicht alle zusammen einen Gesamtkomplex bilden können; daher wird diejenige Aufmerksamkeit, welche ausreicht, um die passende motorische Reaktion zu erzeugen, nur jedesmal einem Reiz zugewandt werden, der andere aber muss beeinträchtigt sein. Wenn es scheint, als wenn wir durch Übung dahin gelangen, doch unsere Aufmerksamkeit mehrerem zugleich zuwenden zu können, so beruht es entweder darauf, dass wir sie fast unendlich schnell wechseln lassen können, d. h. dass sich die festesten Associationen unserer Erfahrung rasch hinter einander bald mit diesem bald mit jenem Vorstellungskomplex vereinigen, oder aber darauf, dass wir uns immer mehr daran gewöhnen, auch die heterogensten Wahrnehmungen als einen einheitlichen Reizkomplex in uns aufzunehmen. — Die physiologische Hemmung enthält nun ähnliches; nur darf sie nicht auf eine falsche Thatsache gestützt werden. Nicht alle Reflexe werden nämlich bei Rindenreizung gehemmt, sondern nur diejenigen, welche zweckmässig sind, also von dem angeborenen Rindenmechanismus unterstützt werden. Diejenigen dagegen, welche als zufälliger mechanischer Erfolg sich ergeben, ohne nützliche Bedeutung, oder welche normal durch die zum Reiz zutretenden Rindenassociationen reguliert und vermindert werden, alle diese Reflexe werden bei Rindenerregung entschieden gesteigert. So wird bekanntlich der Kniesehnenreflex kräftiger ausgelöst, wenn die Rinde sensibel erregt ist, und je mehr wir mit Arbeit beschäftigt sind, desto leichter ziehen wir bei harmloser unerwarteter Berührung unnützerweise schreckhaft das berührte Glied zurück, während der Reiz in der Rinde sofort sich mit den entsprechenden Associationen verbunden hätte und die Bewegung durch Antagonisteninnervation verhindert hätte. Wo der Reflex niederer Centren zweckmässig ist, der sensible Reiz, wenn er zur Rinde vordringt, also Associationen hervorrufen muss, die im selben Sinne wirken, da wird die Ausschaltung der Rinde als Hemmung erscheinen; wo dagegen die Associationen der Rinde dem Reflex als überflüssiger Be-

wegung entgegenwirken, da muss die Ausschaltung der Hemisphären als Verstärkung der Reflexe dienen. So erklären sich
selbst die komplizierten Wirkungen der Exstirpationsversuche
an Hunden, bei denen Zerstörung der vorderen Hemisphärenteile entschieden nach GOLTZ und LOEB eine überflüssige Be-
weglichkeit hervorrief. Dort sind eben die Substrate jener
häufigsten Associationen, beim Tier natürlich die Körperempfindungen, die Tastvorstellungen vor allem. So lange diese
Erinnerungsvorstellungen sich mit den Wahrnehmungen verbinden können, so lange resultiert, wie bei jedem Rindenreflex,
die zweckmässige Reaktion, nämlich Ruhe der Glieder; sobald
aber diese Rindenbahnen entfernt, ruft nun überflüssigerweise
jeder Gesichtsreiz gleich alle möglichen Zeichen von Unruhe
hervor. Das Tier wird beweglich und reizbar.

Wir sind damit zurückgeführt zu den physiologischen
Experimenten, aber können nur einen Augenblick bei ihnen
verweilen, da sie bei konsequenter Erfassung unserer Annahmen
nach keiner Richtung Schwierigkeiten bieten. Freilich die
absoluten Widersprüche, die in den Resultaten verschiedener
Forscher zu Tage treten, kann keine Theorie aus der Welt
schaffen, aber im allgemeinen sind doch die Deutungen nahe-
liegend. Die lokalisierte elektrische Reizung der Rinde löst
für das Bewusstsein sensorische Erregung aus; die schablonen-
hafte Gliedbewegung, die bei dieser Reizung folgt, ist die resultierende aus den reichen Bewegungen, die bei den zweifellos
jedesmal zahlreichen Ganglienreizungen ausgelöst würden, wenn
sie sich nicht gegenseitig hemmten. Jedenfalls aber ist die
sensorische Erregung der bewegungserzeugenden Stelle nicht
die Empfindung der betreffenden Gliedbewegung, sondern die
Vorstellung derjenigen Reize, denen gegenüber eine Bewegung
jenes Gliedes zweckmässig ist. Eben deshalb kann das bestimmte Glied, nach Exstirpation der excitablen Stelle, nicht
mehr zunächst durch normale Sinnesreize bewegt werden, wiewohl es nicht gelähmt ist. Der Affe kann nicht mehr mit
dem Arm, dessen Rindenzone ausgeschnitten, nach der am

Gitter befestigten Frucht greifen, obgleich er sofort nachher dieselbe Stelle mit der Hand erreicht, sobald dieselbe Bewegung beim Klettern nicht durch Rindenerregungen, sondern durch subkortikale Impulse innerviert wird. Alles ergänzt sich eben zum Belege dafür, dass es zwischen sensorischer Erregung und motorischem Impuls kein Zwischenglied giebt, dass mit dem einen unmittelbar das andere gegeben ist, und nicht die Bewegungsvorstellung oder das Innervationsgefühl die Bewegung auslöst, sondern, wenn nicht sich widersprechende Reize schwanken, der Reiz des Bedingungskomplexes die Ursache des Impulses wird.

So vereinfachen sich dann auch sofort die mannigfaltigen pathologischen Erfahrungen. So wird es nun vor allem selbstverständlich, dass der Gelähmte noch lebhafte Innervationsgefühle hat. Mit dem Reizkomplex, der früher die Bewegung ausgelöst hatte, associiert sich jetzt nur die Vorstellung der Bewegung, und da sie zeitlich meist nur wenig, oft gar nicht der Bewegungswahrnehmung vorangeht, vielmehr mit ihr verschmilzt, so ist der Gelähmte leicht veranlasst, die Bewegung für ausgeführt zu halten und demgemäss die anderen Wahrnehmungen fälschlich zu beurteilen. Selbst kompliziertere Erfahrungen, wie die jener Fälle, wo bei fehlendem Tast- und Muskelsinn der Patient etwas nur festhalten konnte, wenn er hinsah, bei geschlossenen Augen alles fallen liess, sie deuten sich ganz einfach, wenn man eben im Reiz die unmittelbare Quelle der Muskelkontraktion sieht, während sie unverständlich bleiben, wenn man der Seele noch die Fähigkeit eines besonderen motorischen Willens zuschreibt, der aktive Kraft hat und nicht nur Vorstellungserlebnis ist.

Halten wir uns schliesslich an die speziell psychophysischen Experimente; auch ihre Deutung ergiebt sich von selbst. So hat LOEB[1]) sehr anregende Versuche gemacht, indem er an einem Kraftmesser seinen stärksten Armdruck mass und nun beobachtete, wie der Druck abnahm, wenn er

---

[1]) LOEB: Muskelthätigkeit als Maas psychischer Thätigkeit, im Arch. f. d. ges. Phys. Bd. 39.

las oder rechnete. Die Erklärung würde für mich einfach
dahin gehen, dass jene starke Muskelkontraktion die motorische
Entladung eines sensorischen Komplexes ist, der nicht etwa
nur aus der Wahrnehmung des Dynamometers besteht, sondern aus der ganzen angestellten Überlegung, die sich mit den
Associationen seines Ich verknüpft hat; sobald er aber zu
rechnen versucht, muss dieser Denkakt als der kompliziertere
die Associationenreihe der Persönlichkeit, des Selbstbewusstseins,
der Aufmerksamkeit an sich reissen und in demselben Moment
wird jener andere Erregungskomplex, dessen äusserer Anlass
der Kraftmesser war, so verringert, dass nur eine schwache
Kontraktion erfolgt. — Anderer Art sind die experimentellen
Untersuchungen der Willensthätigkeit von RIEGER[1]), der die
Kurve zeichnete, welche der horizontal ausgestreckte Arm
beschrieb; die Kurven lehren uns genau, wie bei zerfahrenen
Menschen der Ermüdungsreiz, der den Arm hinabzieht, bald
stärker wird als der Ermahnungsreiz, der sich mit den Associationen seiner Ehre, seines Strebens, seiner Person verbindet;
die Kurven, von den verschiedensten Individuen genommen, zeigen
fruchtbarer als viele Worte, dass jede sensible Erregung sich unmittelbar in motorische umwandelt. — Interessant ist es auch unter
diesem Gesichtspunkt die Zeitmessungen der Willensreaktionen
zu betrachten. Es sei nur daran erinnert, wie die Erwartung die
Reaktionszeit bekanntlich bedeutend abkürzt. Es ist offenbar so
zu erklären, dass die Bewegung nicht der Effekt des Signales allein
ist, sondern der motorische Effekt eines grösseren Reizkomplexes,
zu dem alle möglichen Erwägungen gehören, die durch die Reiz-
empfindung erst associiert werden. Den Reiz erwarten, heisst nun,
jene Associationen schon vorher wachrufen, so dass im Momente
der Reizperzeption schon der ganze Empfindungskomplex im
Bewusstsein auftritt, dessen Resultat die Bewegung ist.

Der Wille greift in so unendlich viele Gebiete wissenschaftlicher Erfahrung ein, dass der Versuch, die gegebenen
Daten im Sinne unserer Hypothesen zu deuten, in sich keine

---

[1]) RIEGER: Exper. Untersuchung zur Willensthätigkeit.

Grenze finden kann; wir müssen damit abbrechen, zumal die Folgerungen aus unseren Annahmen zu ziehen, nicht Aufgabe unserer Skizze war. Wir wollten nur prüfen, welche Annahmen sich als notwendig zur einfachen und widerspruchslosen Erklärung der Erfahrungsreihen boten. Es kann daher nicht hier erlaubt sein, in dieser allgemeinen Skizze der Willenspsychophysik die so interessanten Fragen der pathologischen Willensstörungen, die Erscheinungen der Aphasie, die forensische Bedeutung der Willenshandlung, den Hypnotismus, die physiologischen Experimente und klinischen Erfahrungen irgendwie noch weiter unter den aufgestellten Gesichtspunkten zu betrachten; alles das möge an anderer Stelle mir gestattet sein.

Viel schwerer noch wird mir der Verzicht auf die Erörterung der allgemeinen ethischen Fragen, die sich an unsere Resultate knüpfen, vor allem der Verzicht auf die energische Zurückweisung des naheliegenden Einwandes, als führte die entwickelte Anschauung zu ethischer Unfreiheit oder ethischem Egoismus. Wenn ich jede Erörterung ethischer Willensfragen unterlasse, so geschieht es aus dem einfachen Grunde, um streng die Grenze theoretischer und praktischer Untersuchung inne zu halten. Die Willenshandlung war uns lediglich als physiologische und psychologische Erscheinungsreihe gegeben, als nichts anderes durfte sie hier behandelt werden.

Eines aber muss, sowie zum Anfang, so auch zum Ende noch besonders ausgesprochen werden: dass unsere ganze Untersuchung psychophysisch und nicht erkenntnistheoretisch-metaphysisch sein will. Sie sucht die Erscheinungen zu analysieren und in Zusammenhang zu bringen, nicht aber ihre Wirklichkeit zu ergründen oder ihren Bewusstseinsgrund zu erforschen. Unsere Hypothese will somit nicht Ausdruck einer absoluten Wahrheit sein, sondern nur bequemer widerspruchsloser Ausdruck für die beiden Reihen von Erscheinungen. Wir bescheiden uns damit, nicht weil wir nicht beweisen können, dass gerade wir die Wahrheit getroffen, sondern weil wir beweisen können, dass die absolute Wahrheit **auf ganz** anderem Wege zu suchen, dass bei erkenntnistheoretischer Prüfung sich die physiologische und psychologische Erscheinungsreihe gleichermassen als Bewusstseinsthatsache ergiebt und die wirkliche Unterlage beider identisch ist, während weder jener einheitliche Urgrund der Erscheinungen noch das Wesen des Bewusstseins je Gegenstand positiver Prüfung sein kann; es sind absolut gesetzte Thatsachen, keine Objekte der Untersuchung.

Doch diese Erwägung hat auch ihre Kehrseite. Man soll nicht glauben, die tiefsten Fragen der Erkenntniskritik mit einer einfachen psychophysischen Untersuchung zu lösen, man soll aber auch nicht glauben, psychophysische Probleme durch metaphysische Spekulation erledigen zu können, und dieser Irrtum schleicht sich unbewusst immer mehr in die Kreise der positiven Wissenschaft, nachdem er in der Philosophie glücklich im Absterben begriffen. So hat noch jüngst einer der geistvollsten jungen Physiologen, GAULE, das Problem des Lebens nicht metaphysisch, sondern positiv psychophysisch dadurch lösen wollen, dass er auf den Willen hinwies als diejenige Kraft, die wir als handelnde Menschen unmittelbar, nicht erst durch die Sinne als Erscheinung, sondern in ihrer absoluten Wirklichkeit wahrnehmen. Unsere ganze Analyse hatte nicht in letzter Linie die Aufgabe, diesen Irrtum zu widerlegen und zu zeigen, dass die Willenshandlung als Bewegungsvorgang nach keinen anderen Gesetzen der Materie sich richtet als jede Bewegung in der Natur und dass der Wille als Bewusstseinserscheinung ein durch unsere Sinne vermittelter Komplex von Vorstellungen und Empfindungen ist, der sich von anderen Empfindungskomplexen seinem Wesen nach nicht unterscheidet; dass somit die Willenshandlung, in deren metaphysischem Urgrund das tiefste Rätsel des Daseins ruht, doch im Gebiete der positiven Wissenschaft uns dem Problem des Lebens nicht näher bringt als jede andere psychophysische Erscheinung.

we cannot will what we have not already willed, 87.

choice of motive not part of act of will. 89.

Pathological ... ... self promotion,

no mad... ... ... 76, 141,

his best ... only ... Schematised, 142.

Sensa ... a sign, 144

... feeling of motive ... feeling ... a thought 76. 141

... ...

X